SAINTE FLANELLE, GAGNEZ POU
de Claude Dionne
est le neuf cent cinquante-neuvièm
publié chez VLB

VLB ÉDITEUR
Groupe Ville-Marie Littérature
Une compagnie de Quebecor Media
1010, rue de La Gauchetière Est
Montréal (Québec) H2L 2N5
Tél.: 514 523-1182
Téléc.: 514 282-7530
Courriel: vml@groupevml.com

Vice-président à l'édition: Martin Balthazar
Éditeur: Stéphane Berthomet
Maquette de la couverture: Julien Del Busso
Œuvre en couverture: Michel Lapensée

Catalogage avant publication de Bibliothèque et Archives nationales du Québec
et Bibliothèque et Archives Canada
Dionne, Claude, 1951-
Sainte Flanelle, gagnez pour nous!
ISBN 978-2-89649-352-4
I. Titre.
PS8607.I662S24 2012 C843'.6 C2011-942802-4
PS9607.I662S24 2012

DISTRIBUTEURS EXCLUSIFS:
• Pour le Québec, le Canada et les États-Unis:
LES MESSAGERIES ADP*
2315, rue de la Province
Longueuil (Québec) J4G 1G4
Tél.: 450 640-1237
Téléc.: 450 674-6237
*Filiale du Groupe Sogides inc.; filiale du Groupe Livre Quebecor Media inc.

• Pour l'Europe:
Librairie du Québec / DNM
30, rue Gay-Lussac
75005 Paris
Tél.: 01 43 54 49 02
Téléc.: 01 43 54 39 15
Courriel: direction@librairieduquebec.fr
Site Internet: www.librairieduquebec.fr

Pour en savoir davantage sur nos publications,
visitez notre site: **editionsvlb.com**
Autres sites à visiter: editionshexagone.com • editionstypo.com

Dépôt légal: 1er trimestre 2012
Bibliothèque et Archives nationales du Québec, 2012
Bibliothèque et Archives Canada

ISBN 978-2-89649-352-4

Marquis imprimeur inc.

Québec, Canada
2012

Cet ouvrage composé en Adobe Caslon corps 12 a été achevé d'imprimer au Québec
le trente-et-un janvier deux mille douze sur papier Enviro 100 % recyclé
pour le compte de VLB éditeur.

SAINTE FLANELLE,
GAGNEZ POUR NOUS !

VLB éditeur bénéficie du soutien de la Société de développement des entreprises culturelles du Québec (SODEC) pour son programme d'édition.

Gouvernement du Québec – Programme de crédit d'impôt pour l'édition de livres – Gestion SODEC.

Nous reconnaissons l'aide financière du gouvernement du Canada par l'entremise du Fonds du livre du Canada pour nos activités d'édition.

Nous remercions le Conseil des Arts du Canada de l'aide accordée à notre programme de publication.

Claude Dionne

SAINTE FLANELLE, GAGNEZ POUR NOUS !

roman

vlb éditeur
Une compagnie de Quebecor Media

À Line, fidèle coéquipière depuis près de quarante ans,
témoin privilégié de mes humeurs printanières,
tantôt silencieuse, tantôt réjouie.
Sans ton aide généreuse, je n'aurais jamais touché au but !

À mes enfants, Alexandre et Marjolaine,
ainsi qu'à mon neveu Olivier.
Chaque printemps ramène une fièvre ardente,
le salon tout entier se dresse alors, vibrant, délirant,
savourant le triomphe du Tricolore.
Parfois une défaite accablante étreint nos cœurs.
Cris et chuchotements en prolongation…
Sainte Flanelle tricotée serrée !

À ma mère nonagénaire, toujours vive et alerte
malgré les excentricités de ses trois fils
au salon les samedis soirs d'hiver.
Enfin, au Dr Robert Thirsk, pour son inspiration.
Glissée subrepticement dans ses bagages, durant une mission
dans l'espace, la carte autographiée de son idole, Jean Béliveau !
Une étoile tricolore scintille toujours au firmament…

MISE AU JEU

> Celles et ceux qui ne vivraient que pour le Canadien, qui organiseraient toute leur existence – dans les moindres aspects : amoureux, familial, professionnel, financier, spirituel, etc. – en fonction du seul Canadien doivent être extrêmement peu nombreux, s'ils existent seulement.
>
> Olivier Bauer

Je suis né avec le gène bleu-blanc-rouge, au grand dam de ma mère. J'en veux pour preuve le sang tricolore qui circule dans mes veines et en confond plus d'un. Ce gène a guidé mes pas durant toute mon existence et j'ignore ce qu'aurait été ma vie si le hockey n'y avait occupé une place aussi prépondérante.

Ainsi, à six ans déjà, la Sainte Flanelle me libérait des griffes acérées de la toute puissante Église catholique acoquinée avec ma mère ; à dix ans, le Bleu-Blanc-Rouge me distrayait de la mort subite de mon père, auquel succéda mon héros du Tricolore ; et à l'âge adulte, le Canadien de Montréal insufflait à ma vie professionnelle une bouffée d'air frais dans un univers sclérosé dirigé par une femme des plus mystérieuses…

Durant cette période de ma vie, j'ai puisé régulièrement dans les victoires miraculeuses de la Sainte Flanelle l'espoir de réaliser mon plus grand rêve…

Voici, en trois parties, le récit de ma vie teintée de bleu, de blanc et de rouge.

PREMIÈRE PARTIE

LE BLEU DU CIEL

C'est ce qui fait la beauté d'un match de hockey. On ne sait jamais ce qui va arriver, comment ça va finir, mais on est prêts à rester jusqu'à la fin. Ce qui fait encore plus la beauté du hockey, c'est qu'on peut y adhérer comme à une religion, à une culture ou à un pays sans que ça porte à conséquence ni que ça nous engage à quoi que ce soit. Sa beauté, en fin de compte, c'est sa liberté.

NATHALIE PETROWSKI

Première période

Durant mon enfance, il n'existait pas de plus grand plaisir que celui de collectionner des cartes de hockey. Je me livrais à cet exercice quotidien avec un enthousiasme débordant. Ces cartes représentaient pour moi un trésor inestimable dont je ne me séparais presque jamais. Le soir, après le chapelet en famille, je les admirais inlassablement sous la lumière tamisée des lampadaires. Je les glissais ensuite sous mon oreiller et, avant de fermer l'œil, je priais très fort pour que ma photo apparaisse un jour sur l'un de ces petits cartons multicolores.

Un triste matin de novembre, malgré les consignes impératives de mon institutrice, je décidai d'enfouir au fond de mon sac d'école défraîchi ma collection incomplète. Je désirais appliquer un peu de couleur à la grisaille automnale. Ce fut une décision que j'allais regretter amèrement.

Lorsque je pris mon sac sur mes épaules à la fin de la classe, la carte recrue de Jean Béliveau s'échappa par une mince ouverture et atterrit doucement aux pieds de mon institutrice. Quel sacrilège ! Je fus alors contraint de vider mon sac sur mon pupitre et de rendre mon précieux trésor.

— Bien fait pour toi, Clément ! Ça t'apprendra ! C'est ce qui arrive, mon garçon, quand on désobéit, vociféra-t-elle en secouant énergiquement l'index.

Ses yeux pétillèrent alors d'une grande méchanceté. Je balbutiai quelques mots noyés dans un flot de sanglots qui secouèrent mes frêles épaules. De nature hypersensible, j'avais facilement la larme à l'œil. Un mot de travers, même anodin, me chamboulait profondément.

Sœur Denise-des-Anges sortit aussitôt de sa robe noire une longue clé ouvragée qu'elle introduisit difficilement dans la serrure antique d'une énorme armoire en chêne. Elle tourna la clé de gauche à droite et de droite à gauche jusqu'à ce que les portes à pointes de diamant s'entrebâillent, et déposa mes idoles cartonnées dans une petite boîte métallique bleu ciel. Elle referma ensuite brusquement les portes et retira la clé qu'elle pointa furieusement dans ma direction, affichant ainsi toute son intransigeance.

Le deuil que je fis de mes cartes augmenta alors vivement le débit de mes larmes. Toutefois, les rires moqueurs de mes camarades, nourris par le sourire sarcastique de la jeune sœur, eurent tôt fait de freiner ma peine, car je ne voulais pas ressembler à une mauviette. Je ravalai subtilement mes larmes. Du haut de l'armoire colossale, la statue de saint Joseph veillait sur mon plaisir, considéré par les religieuses comme le plus abject des péchés.

Le lendemain de mon incartade, je fus mis au piquet durant toute la journée, le nez contre le mur blanc et l'oreille soudée à l'armoire. J'entendis alors le fracas des bâtons de hockey frappant des rondelles et la foule exulter à la suite de buts marqués.

Ces bruits diaboliques rendirent la pénitence moins pénible, mais sans toutefois effacer la haine implacable peinte sur le visage de la jeune sœur. J'avais développé la capacité aiguë de lire sur le visage d'autrui leur état émotionnel. J'étais capable d'y déceler le moindre signe de tendresse ou de rejet. Cette femme m'avait dans le nez. Je le sentais profondément.

J'en conclus facilement que je ne serais jamais dans les bonnes grâces de cette femme austère.

Ma faute était à ce point répréhensible que ma mère fut invitée à rencontrer sœur Denise-des-Anges dans les plus brefs délais. Entre-temps, je ne quittais pas des yeux l'armoire, espérant un miracle, même si je m'imaginais, passant devant l'incinérateur de l'école, que mes idoles iraient inéluctablement brûler en enfer.

Ma mère s'appelait Cécile, mais bien peu de personnes la prénommaient ainsi, car il était d'usage, après la cérémonie du mariage, d'emprunter le nom du mari.

— Madame Gérard Belzile, il est de mon devoir de vous dire que votre fils Clément n'a que le hockey dans la tête et qu'il ne fera rien de bon dans la vie, confessa la jeune sœur en roulant bien tous les « r ».

La religieuse se demandait comment d'aussi bons parents avaient pu livrer au monde un tel petit diable.

— Vous savez, ma chère bonne sœur, la nature nous réserve parfois d'étonnantes surprises, avoua ma mère en hochant la tête.

Le cœur rempli de compassion, la sœur serra fermement la main gantée de ma mère, qui esquissa un sourire embarrassé. Sa diatribe se termina en alléguant que mon amour du Canadien m'éloignait considérablement de mes devoirs de bon chrétien.

— J'ai été obligée de couvrir une image de son cahier de lecture hier durant la prière matinale, déclara la jeune sœur en pointant avec mépris l'image en question.

Ainsi en avait décidé le tribunal ecclésiastique dont le jugement, au temps de l'Inquisition, m'aurait envoyé directement au bûcher. J'étais un hérétique, une brebis égarée. Cette sentence assombrit d'un coup le rêve de ma mère de voir son fils endosser un jour la soutane. Cette injustice criante ne trouva malheureusement aucun écho favorable.

De retour à la maison, mon père, sur l'ordre de ma mère, déchira lentement la page vingt-neuf de mon livre de lecture au bas de laquelle figurait un petit garçon affublé du chandail tricolore. Sous ses patins, on pouvait lire le mot « CHampion » tracé dans la glace. Sans en être conscient, je m'identifiai très tôt au célèbre tricot qui soulevait partout une admiration enthousiaste. À juste titre d'ailleurs, car les champions, à l'exception des joueurs du Canadien, n'étaient pas monnaie courante à cette sombre époque.

Ce petit garçon enjoué avait peut-être disparu de mon livre de lecture, mais il s'était réfugié au fond de moi pour y séjourner éternellement. Ce fut ce même petit garçon passionné du Canadien de Montréal qui ressurgit plus d'une fois au cours de l'année scolaire, soulevant l'ire des Fiancées du Christ.

On n'a pas passé six années de sa vie sous la férule de religieuses autoritaires sans que cela laisse de profondes cicatrices. Je conserverai toujours bien ancrés au fond de ma mémoire les sévices corporels auxquels je fus soumis.

Je pardonnais difficilement à sœur Denise-des-Anges de m'avoir si souvent écrasé la mèche rebelle de son claquoir de bois franc toutes les fois que je me décoiffais. La tuque tricolore que je portais dressait mes cheveux blonds comme une flèche de cathédrale gothique et ce n'est pas tant mes cheveux rebelles que la vue du bleu-blanc-rouge qui l'enquiquinait. Je compris beaucoup plus tard les raisons de sa sévérité: ces trois couleurs symbolisaient une grande fierté pour le peuple québécois. Or, la fierté n'était pas une valeur très à la mode dans ce temps-là.

En effet, l'enseignement du petit catéchisme que j'avais reçu m'apprit plutôt à plier l'échine et à réprimer les mouvements d'orgueil qui s'élevaient dans mon âme. L'acte d'humilité que je récitais comme un perroquet m'apprit à me mépriser et faillit me convaincre qu'un jour je deviendrais comme mes ancêtres un éternel porteur d'eau.

Je comprends mieux aujourd'hui pourquoi les religieuses détestaient tant Maurice Richard et les couleurs du chandail qu'il arborait. Je comprends aussi pourquoi ma tuque rendait les bonnes sœurs folles de rage.

Je peux aussi difficilement effacer de mes souvenirs l'humiliation que je subis dans la classe de première année.

Pour me punir de m'être incorrectement agenouillé sur le prie-Dieu durant l'office religieux, mon institutrice m'avait rougi les fesses de sa lanière de cuir. Il faut dire que le bitume raboteux de la ruelle menait la vie très dure à mes pauvres rotules. Comme les religieuses remplaçaient dignement nos parents à cette époque, personne n'aurait osé douter de leur jugement, encore moins ma mère, qui les percevait comme de fidèles alliées. La confiance qu'elle leur témoignait était inébranlable.

Je me sentais alors bien seul et souvent incompris dans le monde austère des adultes. Comme je n'avais ni frère ni sœur à qui me confier, je me tournai vers Mathieu Vezeau, aussi fils unique, avec qui je partageais un banc d'école et une même passion pour le hockey.

Cette ferveur commune nous unissait comme les deux doigts de la main, mais je crois que le manque d'amour maternel nous soudait davantage. Seul notre attachement indéfectible pour le Canadien comblait ce besoin affectif.

L'histoire d'amour entre le Canadien et le peuple québécois existait depuis le début du siècle et rien à ce jour n'avait pu briser cette union. Ce lien quasi viscéral avec cette équipe s'expliquait facilement du fait que le Canadien fabriquait un plaisir sur glace qui nous rendait heureux, parfois même euphoriques. Cette griserie ensoleillait nos journées. Nous avions l'impression de faire partie de la grande famille du Canadien. Nous les aimions, ils nous aimaient. Nous ne connaissions rien d'autre.

Ce petit bonheur à rabais colmatait de façon éphémère quelques brèches affectives et nous nous en satisfaisions pleinement. D'ailleurs avais-je d'autre choix, sinon que de faire de Jésus mon héros ? Inconcevable ! Alors, privés d'amour maternel, que serions-nous devenus sans le Canadien ?

S'il existait un gène bleu-blanc-rouge, j'en avais sûrement hérité. De mon père ? Certainement pas de ma mère. Cela demeurait un mystère que je ne m'efforçais pas de percer. J'étais beaucoup trop jeune pour essayer de comprendre pourquoi ce sport drainait toutes mes pensées et toutes mes énergies. Une seule chose comptait : jouer au hockey à en perdre haleine.

Or, comme je n'avais ni chandail ni bâton de hockey, je les empruntais souvent à Mathieu durant la récréation du midi. Sa tête de feu lui attirait fréquemment des quolibets, de sorte que sa présence n'était pas tellement appréciée par les autres joueurs. Les enfants croyaient que les roux représentaient le feu de l'enfer. Rejeté ainsi par plusieurs, il se consolait avec quelques vieilles cartes de hockey que je lui donnais en échange de son équipement. Incapable de mémoriser ses prières, Mathieu pouvait dresser la liste de tous les joueurs de la ligue, avec leur position ainsi que leur numéro. Comme quoi nous avons de la mémoire pour ce qui nous passionne. Ce don le faisait rêver à une carrière dans l'organisation du Canadien. Je ne le contredisais jamais.

Le rouge sanglant de mon chandail présentait un fort contraste avec la Grande Noirceur qui rôdait autour de la bande de fortune. Lorsque j'endossais le chandail tricolore, j'avais l'impression d'appliquer du rouge à lèvres sur la morosité quotidienne, de mettre de l'éclat et de la couleur à ce monde rigoureux qui me traumatisait et m'empêchait de donner libre cours à ma joie de vivre. Dès que je touchais un bâton de hockey, il me poussait des ailes. Pas comme celles des angelots qui tapissaient mes cahiers d'exercices pour m'exhorter à bien travailler, mais plutôt des ailes qui me donnaient des élans de liberté et de joie indescriptibles. Ce n'était plus un bâton de hockey, mais plutôt une baguette magique que je tenais fermement dans mes mains.

J'étais conscient que mon amour de la Sainte Flanelle irritait énormément les religieuses. Mon esprit rétif s'opposait à leur enseignement et le hockey servait à éloigner les vautours cléricaux qui voyaient en moi des vertus sacerdotales. Mon long calvaire chez les Bonnes Sœurs de la Providence ne fut pas, en ce qui me concerne, très providentiel !

— Votre mère vous a interdit de jouer au hockey dans la cour de récréation. Ce n'est pas bien de désobéir à ses parents, me rappelait sans cesse l'aumônier en m'invitant à me confesser lors de la prochaine visite à la chapelle du Jardin de l'Enfance.

Le peu de conviction qu'il affichait dans ses propos laissait croire qu'il adorait le hockey et qu'il agissait ainsi par pure complaisance à l'égard des bonnes sœurs.

Comme le hockey demeurait la principale source de plaisir à cette époque et que le plaisir était perçu comme l'incarnation du péché, il était donc normal d'agir pour mon bien et de me montrer le droit chemin duquel j'avais facilement tendance à m'éloigner.

Mon entêtement perturbait la quiétude de mes parents. Ils se demandaient bien pourquoi la providence avait été si peu généreuse. Ma mère, qui possédait une langue de vipère, injectait aux mots qu'elle prononçait un venin parfois mortel.

— Mais qu'est-ce qu'on a fait au bon Dieu pour avoir un gars comme toi ? se lamentait-elle, larmoyante, en rafistolant mes vêtements troués.

Ces larmes ne réussirent pas à m'attendrir, de sorte que je continuai à défier l'autorité malgré les punitions infligées par ma mère et ses alliées de noir vêtues. Je me montrai aussi tenace que mes héros d'hiver me l'avaient enseigné par leurs exploits sur la patinoire.

Deuxième période

Il n'y avait pas que l'asphalte de la cour de récréation qui usait mes pantalons. Après une collation prise à la sauvette sur les marches de l'escalier en colimaçon, mes amis et moi assiégions la ruelle exiguë avec nos vieux bâtons de hockey, amputés parfois de la palette et au bout desquels résistait péniblement un infime moignon. Dès que nous empoignions nos bâtons, la magie opérait et nous nous métamorphosions en de véritables joueurs de hockey.

Si la soprano Maria Callas possédait une voix qui illuminait le monde entier, les héros de mon enfance jouissaient de qualités surhumaines qui illuminaient les cours de récréation et les ruelles sombres.

Nous frappions des balles tous azimuts sans nous méfier des faux bonds. C'est pourquoi il nous arrivait de les pourchasser jusqu'aux bouches d'égout à l'intérieur desquelles notre bonheur se faisait avaler tout rond. En d'autres occasions, notre balle se retrouvait coincée sous le chariot dégingandé du guenillou que nous approchions timidement. Enfin, nous escaladions parfois les toitures des garages afin de retrouver une balle perdue, à défaut de quoi l'on se contentait du crottin gelé offert gratuitement par les chevaux du jovial livreur de lait.

Au bout de la ruelle s'élançait le campanile de la majestueuse église Saint-Louis-de-France au sommet duquel trois immenses cloches nous hélaient. C'était pour nous signaler l'heure du repas. Dès que l'Angélus sonnait, nous ajournions nos activités ludiques de crainte de passer sous la table. Le son tonitruant des cloches mettait fin à notre partie et en déclarait aussitôt le vainqueur. À moins d'être sourd, personne ne pouvait les ignorer: nos mères veillaient au grain.

Après le souper, ma mère nous réunissait autour de la table de cuisine pour réciter le chapelet auquel nous conviait quotidiennement le cardinal Léger, sa voix retentissant dans la radio-cathédrale coincée entre la boîte à pain et l'étagère à épices. Toutes les familles de foi catholique pratiquaient ce rituel car, dans l'esprit du clergé, une famille qui priait respirait l'harmonie et le bonheur.

Ma mère nourrissait cependant des ambitions plus grandes que l'unité familiale. Elle rêvait de me voir un jour porter la soutane et elle s'imaginait que ce rituel auquel elle m'astreignait me rapprocherait de Dieu. Elle se trompait. Si je priais, c'était pour demander à Dieu de faire éternellement triompher la Sainte Flanelle. En réalité, ma mère faisait preuve alors de plus d'amour pour son rêve que pour son fils.

Je m'aperçus très tôt à cette époque que la maison familiale se divisait en deux: la cuisine et le salon, occupés respectivement par ma mère et mon père. Pendant que la radio-cathédrale de ma mère diffusait le chapelet, la radiophonographe de mon père glorifiait les exploits sportifs de notre héros national chargé par le peuple québécois de lui donner enfin quelques victoires.

Maurice Richard incarnait pour la nation canadienne-française un homme tenace qui ne se laissait pas manger la laine (tricolore) sur le dos et qui réagissait violemment dans l'adversité, de sorte que son attitude rebelle soulevait parfois de grandes passions. Ce joueur adulé provoquait des flammèches au cœur d'un Québec plongé dans la plus grande obscurité.

Je n'avais que six ans et pourtant j'imaginais déjà les montées à l'emporte-pièce du Rocket d'un bout à l'autre de la patinoire. Lorsque notre idole s'arc-boutait sur son bâton et logeait la rondelle d'un geste vif dans le filet ennemi, la clameur de la foule ébranlait dangereusement les colonnes du Forum. Le ton du commentateur montait alors tellement que mon père se levait brusquement pour baisser le volume de la radio. J'étais littéralement transporté au paradis, très loin cependant de celui promis par mes éducatrices. La voix nasillarde du commentateur s'étirait parfois jusqu'à la cuisine où ma mère passait souvent ses soirées à rapiécer mon pantalon sous la lumière blafarde de sa vieille machine à coudre.

— Gérard, es-tu certain que Clément s'est endormi? demandait ma mère, craignant que la radio me dévore l'esprit et me ronge le cœur.

— Je vais fermer sa porte de chambre, répondait aussitôt mon père, la tête enveloppée d'une épaisse fumée blanche.

Il laissait alors la porte de ma chambre à demi ouverte et me gratifiait d'un clin d'œil conspirateur. Je le savais de tout cœur avec moi. Le hockey demeurait avant tout une histoire d'amour entre un père et son fils, rarement entre une mère et son fils. Le hockey permettait ces effusions auxquelles ma mère ne participait jamais.

L'odeur d'un havane grillé, mêlée à la voix réconfortante de la radio, créait une atmosphère de douce sérénité. Je me complaisais dans cette chaude sécurité et je m'endormais toujours avant la fin de la rencontre. Mon père déposait alors sur ma table de chevet le résultat final de la partie. Dès que j'ouvrais l'œil le lendemain matin, je m'empressais de lire sur le petit bout de papier l'humeur de ma journée. Si le pointage indiquait une défaite du Canadien, je refermais les yeux en enfouissant ma tête dans l'oreiller pour noyer mon chagrin. Parfois la calligraphie expéditive du message trahissait l'humeur de mon père et me signalait qu'il avait été lui aussi affecté par la défaite.

Quelques jours plus tard, ce ne fut pas la calligraphie de mon père qui attira mon attention, mais plutôt celle de ma mère. Avant la période des fêtes, ma mère laissa traîner sur le comptoir de la cuisine sa liste de cadeaux de Noël. En me hissant sur la pointe des pieds, je crus deviner les lettres « cha » à côté de mon nom. Malheureusement, son énorme sac à main masquait le reste du mot magique. Il était clair que le mot « chandail » figurait sur sa liste d'emplettes.

« Quel bonheur ! Enfin, on me comprenait », me dis-je en rêvant déjà à la nuit de Noël.

J'avais deviné. J'aurais moi aussi mon chandail bleu-blanc-rouge ! Absolument rien à cette époque n'égalait le glamour qu'exerçait la Sainte Flanelle auprès des enfants.

— Clément, arrête de fouiner sur le comptoir ! Si tu es trop curieux, tu vas te passer de cadeaux, menaçait alors ma mère en me tirant l'oreille.

Au souper, je m'empressai d'annoncer la bonne nouvelle à mon père. Je remarquai toutefois qu'à partir de cet instant, il n'osa plus me regarder dans les yeux le reste du repas. Après avoir avalé sa dernière gorgée de café, il s'engouffra dans son atelier où il passa la soirée à fabriquer, au dire de ma mère, un meuble unique pour mon cousin. Il m'était alors formellement interdit d'y pénétrer sous peine de graves représailles.

À partir de ce jour, je changeai radicalement mon comportement. Ma mère ne me reconnaissait plus. J'arrivais cinq minutes avant le début de la récitation du chapelet. J'allumais même la radio-cathédrale avant l'heure et je demeurais agenouillé jusqu'à la toute fin sans broncher. Inerte comme une statue de plâtre.

— Est-ce que tu entends des voix ? me susurrait alors ma mère, qui connaissait bien l'histoire de Jeanne d'Arc.

Je ne voulais tellement pas la décevoir qu'il m'arrivait de mentir sans vergogne. Les espoirs de ma mère n'avaient jamais été pareillement comblés. Mon attitude était à ce point irréprochable que j'eus même le privilège d'accompagner mon père au jubé durant la grand-messe.

Mon père était membre de la chorale Saint-Louis-de-France et sa belle voix de baryton, héritée de son père, lui avait permis de se tailler une place honorable au sein du célèbre chœur.

Je jouissais donc du privilège de m'asseoir à côté des grandes orgues Casavant et d'écouter ces voix merveilleuses qui rendaient la célébration de la messe moins ennuyante pour un enfant de six ans et demi. Durant le sermon du curé, le jubé se vidait aussi vite qu'une classe au son de la cloche un vendredi après-midi. Les hommes se dirigeaient alors vers le fumoir où mon père s'allumait une bonne pipe qu'il accompagnait fréquemment d'un petit coup de fort dissimulé à l'intérieur de son paletot. On y discutait ferme des droits des francophones et de l'achat de produits de chez nous. Je ne connaissais rien à cette Patente-là.

Inopinément, les discussions s'éloignaient du sujet de la francophonie et aboutissaient fort heureusement au hockey. Les prouesses de Maurice Richard alimentaient alors les conversations, qui s'envenimaient lorsque de mauvaises langues vilipendaient notre héros national. À la vue des nombreux bancs inoccupés, le curé étirait son homélie et envoyait le servant de messe demander aux choristes de regagner immédiatement leur place dans le jubé.

Plus tard, les discussions reprenaient de plus belle sur le parvis de l'église. Je les écoutais avec une grande attention. Le plaisir que j'éprouvais lors de ces sorties dominicales était par contre un peu mitigé. D'un côté, une mère dévote qui rêvait de voir son fils porter la soutane ; de l'autre, un père qui cachait un petit flacon de brandy en magnifiant Maurice Richard comme Dieu le Père. Malgré ses écarts de conduite, je ne l'aurais jamais trahi. La confiance qu'il me témoignait me grandissait trop. J'étais très fier de partager avec mon père une partie de son jardin secret.

Au retour de la grand-messe, pendant que ma mère s'affairait aux chaudrons, mon père s'assoyait au piano et, de sa belle voix grave, entonnait des airs d'opéra. Assis sur le Chesterfield du salon, je ne me lassais jamais de l'écouter, avec une attention et une ferveur qui glorifiaient le génie musical du compositeur. J'avais toujours prêté une oreille à la musique qu'interprétait mon père. Déjà dans le berceau, fabriqué de ses mains adroites, mon père me fredonnait des airs pour m'endormir. Mes oreilles avaient poussé au son de la grande musique.

Mon père exerçait le noble métier d'ébéniste. Une oreille musicale exceptionnelle et une dextérité chirurgicale en faisaient le meilleur allié du facteur d'orgues de la maison Casavant Frères. Son métier l'amenait souvent à parcourir les paroisses québécoises au sein de l'équipe d'harmonistes mobilisée pour remonter l'orgue.

Ma mère profitait alors de ses absences pour asseoir davantage son autorité et s'imposer comme le véritable chef de la famille. Elle ne se gênait pas pour casser du sucre sur le dos du pauvre diable qu'elle considérait comme un simple ouvrier sans envergure. Elle le trouvait mou comme une limace et porté un peu trop à son goût sur la dive bouteille.

Toutefois, comme mon père subvenait honorablement aux besoins de sa famille, ma mère se gardait bien à son retour de tirer à boulets rouges sur sa personne, même si ses vêtements exhalaient parfois une fragrance étrangère...

Ma mère fermait toujours les yeux sur ses aventures galantes, car elle y trouvait son compte. Soustraite à ses devoirs conjugaux, qu'elle envisageait avec dédain, elle s'endormait, béate, sous le regard agonisant du Rédempteur suspendu au-dessus de sa tête.

De mon côté, lorsque l'absence de mon père s'étirait, je le faisais apparaître comme par magie en reniflant profondément l'arôme de son cigare imprégnant mon pyjama. Cette odeur me donnait alors un sentiment de sécurité permanente.

Aussi, je trouvais la tendresse et le réconfort en me réfugiant sous les jupes bouffantes de tante Mignonne. Cette cachette provisoire m'éloignait de l'influence prédominante des gardiens de la foi catholique qui rodaient autour de moi comme des vautours.

La sœur cadette de mon père s'appelait Thérèse, mais c'est par le sobriquet affectueux de « Mignonne » que nous l'avions toujours surnommée. Elle habitait depuis plusieurs années à la maison, et nous avions développé avec elle une belle complicité et une saine relation. Elle prêtait toujours l'épaule pour accueillir mes angoisses et mes chagrins. Comme le jour où la sœur avait chipé mes cartes de hockey. Elle était plus qu'une tante. Elle était presque une seconde mère pour moi. Une mère en relève comme un lanceur au baseball.

Tante Mignonne était diplômée de l'École des beaux-arts de Montréal, mais elle n'avait jamais vécu des fruits de son art, ayant passé une bonne partie de sa vie à s'occuper de sa pauvre mère. Lorsque cette dernière mourut, mon père hébergea ma tante. Sa petite chambre lui servit alors aussi d'atelier où elle sculptait des statuettes de plâtre à l'effigie de personnages bibliques. La statuaire lui permettait de gagner modestement sa vie.

Ma tante fumait comme une locomotive et carburait au café très corsé. Elle mangeait comme un oiseau et sa silhouette famélique laissait facilement deviner une santé chancelante. Son visage émacié lui donnait un profil noble lorsqu'elle se coiffait d'un large feutre noir et couvrait son cou délicat d'une longue écharpe de laine rouge. Tante Mignonne avait alors la fière allure d'un Aristide Bruant, tel que peint par Toulouse Lautrec sur une célèbre affiche. L'imitation des idoles n'a pas d'âge.

C'est de cette façon qu'elle s'affublait lorsqu'elle se rendait dans le Chinatown du Vieux-Montréal pour y rêvasser de longues heures. C'est là qu'elle puisait son inspiration pour peindre de redoutables et monstrueuses créatures qui m'amusaient follement.

Ma mère y avait décelé plutôt des êtres maléfiques qui exerçaient une influence néfaste sur ma santé mentale.

Lorsque tante Mignonne les peignait, elle lui interdisait de me recevoir dans sa chambre, où les démons de l'enfer pullulaient.

Je me suis souvent demandé si ma tante ne prenait pas un malin plaisir à peindre l'âme de sa belle-sœur qu'elle détestait éperdument.

C'est aussi dans cette fameuse chambre que je la vis peindre la toile de Maurice Richard remise à l'occasion d'une fête organisée en son honneur au Forum de Montréal. Ma tante avait alors remporté le concours artistique organisé par le club de hockey montréalais. Je l'avais maintes fois observée dans l'embrasure de la porte peindre la toile sur un chevalet rudimentaire où dominaient le bleu, le blanc et le rouge. Ces couleurs offraient un fort contraste avec les murs ternes et les draperies sombres de sa chambre. J'adorais cette toile et je me demande parfois où elle est suspendue aujourd'hui. Le rêve de la revoir me hante toujours.

Or, ces trois couleurs n'ont pas illuminé ma nuit de Noël comme je l'avais tant souhaité. À vrai dire, ce fut la nuit de Noël la plus pénible de mon enfance. Ce petit deuil plongea mon être dans une tristesse aussi automnale que la musique romantique de Brahms.

Aucune des boîtes emballées sous l'arbre de Noël ne contenait le chandail dont j'avais tant rêvé. J'y découvris plutôt un missel orné d'une reliure dorée, un scapulaire, un chapelet, une médaille de saint Jude ainsi qu'une chasuble blanche aux rebords brodés d'une fine dentelle, que ma mère avait achetée dans une boutique liturgique près de la basilique Notre-Dame. On aurait voulu ma mort que l'on n'aurait pas agi autrement. Parce que c'était la nuit de Noël, j'étouffai toute ma colère au creux de mon oreiller.

Tante Mignonne comprit tout mon désarroi et vint me rejoindre dans ma chambre après le réveillon. Elle s'assit au pied de mon lit, comme elle en avait l'habitude lorsque nous jouions au jeu des devinettes dont elle raffolait.

— Sais-tu qui est saint Jude? demanda-t-elle en passant sa main chaude sur ma joue encore humide.

Cette nuit-là, je n'avais pas le cœur à me prêter à son petit jeu. Je lui remis la médaille, qu'elle s'empressa d'épingler à sa blouse rayée, avant de se lever d'un trait et d'entamer aussitôt le récit de Pauline, sa meilleure amie.

Cette dernière avait acheté au sanctuaire Saint-Jude une vingtaine de petites médailles exactement comme celle qui pendait au chemisier de ma tante. Au printemps 1947, elle se présenta au Forum de Montréal et supplia le commentateur Michel Normandin de les distribuer aux joueurs tant catholiques que protestants. Les joueurs acceptèrent sans maugréer la demande de la jeune demoiselle. Certains collèrent leur médaille sous leurs patins à l'aide d'un ruban gommé tandis que d'autres la placèrent dans une jambière ou dans un gant en vue de la partie critique qu'ils s'apprêtaient à disputer.

Entendant cela, je me dressai dans mon lit droit comme un cobra pour écouter passionnément la suite. Tante Mignonne avait toujours le don d'apaiser mes tourments.

Or, ce soir-là, me raconta-t-elle, Maurice Richard marqua deux buts dans une victoire qui permit au Canadien d'éviter l'élimination. Le précieux talisman contribua à donner aux joueurs le courage nécessaire ainsi qu'à leur transmettre l'espoir que tout n'est jamais perdu, même quand une cause semble désespérée. Les joueurs crurent tellement aux vertus miraculeuses de ces petites médailles qu'ils les emportèrent à Toronto lors de la sixième partie de la finale.

Je ne savais trop si je devais croire cette histoire pour le moins rocambolesque. Je ne risquai rien et demandai à ma tante de me remettre ma médaille.

— Conserve-la précieusement! On ne sait jamais. Elle pourrait te servir plus tard si jamais tu perds espoir, me conseilla-t-elle en retirant délicatement la précieuse médaille de son chemisier.

Je la déposai dans le tiroir de ma commode en espérant que le patron des causes désespérées vienne à ma rescousse au plus vite.

Puis tante Mignonne me borda affectueusement et me souffla à l'oreille ces paroles encourageantes :

— Sois patient, Clément, tu l'auras ton chandail. Je te le promets ! Tu peux me faire confiance.

Troisième période

Je compris lors de ma première communion la raison pour laquelle une chasuble m'avait été offerte à Noël, fête occurrente avec mon anniversaire de naissance, et je perdis alors tout espoir de recevoir le maillot tricolore tant désiré.

Clic! Clic! Clic!

— Arrête de bouger, Clément, sinon la photo va être floue, m'ordonna mon père en essayant de bien me cadrer.

— Tenez, sœur Denise-des-Anges, placez-vous derrière Clément, fit mon père en posant les mains jointes de l'institutrice sur mon épaule tombante.

Pour cette journée mémorable, ma mère m'avait habillé selon l'usage. Je portais un complet en belle serge bleu marine, des gants en chamoisette, une boucle Windsor en satin blanc, un mouchoir de communiant avec des motifs peints sur crêpe de Chine, de solides bretelles Berkley tout élastiques, un brassard de grand luxe en belle soie moirée peint de jolis motifs pieux, ainsi qu'une généreuse frange dorée.

Je me retrouvais à endosser de la sorte des vêtements à des années-lumière de l'habit que j'aurais tellement souhaité revêtir.

— Comme ça, c'est très bien! On aperçoit parfaitement l'autel, marmonna mon père avant d'appuyer sur le déclencheur.

Clic! Clic! Clic!

Les flashs de l'appareil photo m'aveuglèrent au point de me plonger dans les ténèbres profondes. Je voyais assez clair cependant pour comprendre leur jeu. Malgré les efforts déployés par ma mère et le curé de la paroisse, je savais qu'ils perdaient leur temps.

«Jamais je ne serai prêtre», me dis-je en esquissant un sourire pour la postérité.

Ce sourire trafiqué était plutôt adressé à mon père, qui avait passé de longues heures dans son atelier à fabriquer un autel aussi gros qu'une commode et aussi ressemblant que celui occupant le chœur de l'église Saint-Louis-de-France. Quand je savais toutes les heures qu'il avait consacrées à ce projet sous la férule du chef de la famille, je n'avais pas le droit de le décevoir. Surtout que l'œuvre était magnifique et avait été construite avec une minutie d'orfèvre.

Mon père reçut les compliments d'usage, qui le rendirent tellement heureux que je ne souhaitai pas entacher un tel bonheur. Rester digne et reconnaissant dans l'adversité. Je ne voulus pas déplaire et j'évitai d'exprimer toute la colère qui grondait en moi. Le frêne que l'on avait abattu pour fabriquer cet autel aurait certainement repris vie dans mes mains sous la forme de bâtons de hockey. De la même manière que le violon sculpté par le luthier renaît dans les mains du virtuose. Cet objet liturgique était désormais voué à connaître un triste sort.

Ainsi, ils étaient tenaces, mais ils ignoraient que je l'étais tout autant. Sinon plus qu'eux. Leur entêtement à vouloir m'imposer ce mode de vie me rebutait et ne faisait que renforcer mon amour du hockey et ma passion de la Sainte Flanelle. Mes modèles sur la glace demeuraient mes seuls vrais alliés. Je ne pouvais réellement compter que sur eux pour me sortir de cette machination perfide. La bigoterie de ma mère et de ses alliées vêtues de robes noires m'éloigna de plus en plus de la Sainte Trinité et me rapprocha de plus en plus de la Sainte Flanelle.

Assister à la messe du dimanche était déjà une corvée en soi, je n'allais certainement pas employer mes loisirs à jouer à la messe avec mes camarades, qui ne tarderaient pas à m'abandonner. Cette comédie à laquelle je me prêtai ne dura fort heureusement que le temps d'un lampion. La batterie d'accessoires liturgiques qui accompagnaient l'autel se vit attribuer d'autres fonctions.

Le chandelier fut remis au joueur qui avait marqué le plus de buts dans la journée et la petite clochette fut utilisée pour signaler le début de la partie. Le calice, quant à lui, servit à faire semblant de boire du champagne pour célébrer victoire. L'autel fut descendu dans la ruelle et tint lieu d'escabeau pour récupérer nos balles égarées sur la toiture des garages. Il cessa d'être utile le jour où le guenillou le ramassa durant l'heure du dîner. Mon père ne m'en reparla plus jamais. Ma mère, quant à elle, m'ignora durant plusieurs jours comme si j'avais été un parfait étranger. Peut-être l'avais-je véritablement toujours été ?

À partir de cet instant, on comprit finalement que je n'avais pas la vertu pour le sacerdoce, si bien que l'on cessa totalement d'investir dans ce petit garçon frivole qui ne pensait qu'à s'amuser. Tous se résignèrent, sauf une personne qui continua de croire en moi et en mes rêves.

Contre toute attente, je découvris le chandail bleu-blanc-rouge, tel que promis par tante Mignonne, suspendu dans ma garde-robe. Je m'empressai aussitôt de l'enfiler. Il y avait fort longtemps que je n'avais pas ressenti autant de chaleur. Je me couchai sur le ventre et, lorsque je me réveillai à l'aube, les lettres entrecroisées avaient imprimé sur ma poitrine le plus beau de tous les tatouages.

Ma tante ne tarda pas à coudre un numéro au dos de mon chandail. En effet, dès que ma mère s'absenta pour une course à l'extérieur, je le sortis de sa cachette, tante Mignonne installa la machine à coudre sur la table de la cuisine et, le menton bien assis dans la paume de ma main, je l'observai coudre du rêve derrière mon chandail. Ce rêve arborait le numéro quatre et se prénommait Jean Béliveau, joueur au style fluide et gracieux. Je ne compte plus les soirs au cours desquels je fermai les yeux en imaginant que j'avais l'élégance et la souplesse du numéro quatre.

Je m'échappais seul vers le gardien de but. Je le déjouais d'une feinte magistrale et semais le délire dans la foule. Je recevais une si grande manifestation d'amour de la part des spectateurs euphoriques que je croyais un instant ne plus en avoir besoin le reste de mes jours. J'étais au septième ciel!

Ce joueur élégant me transportait dans un autre monde, surtout lorsque mon père s'absentait durant quelques jours. Ce noble chevalier chassait mon ennui et mes démons. Père absent et mère manquante; fils de hockey plus que jamais. Pourtant j'attendais toujours le retour de mon père avec la même fébrilité. Comme il était un homme taciturne, seul son regard pétillant signalait toute la joie qu'il éprouvait de me retrouver.

Un soir de l'automne 1957, il revenait de la ville de Québec où il avait monté le buffet de l'orgue de l'église du Saint-Esprit. Je ne l'avais jamais vu aussi exubérant, franchissant la porte en brandissant fièrement deux petits cartons rectangulaires que son patron venait de lui remettre.

— Il y a longtemps que je t'en parle, mon gars, eh bien, ça y est! Attache ta tuque! Samedi prochain, je t'amène sur la passerelle du Forum voir le Canadien, claironna mon père en lançant son Stetson sur la patère du corridor.

Mon père rata la cible et le chapeau élégant, acquis récemment chez Henri-Henri, atterrit sur le plancher de bois franc. Je le ramassai rapidement et remarquai le nom du célèbre chapelier montréalais cousu à l'intérieur.

— Si un joueur du Canadien compte trois buts, tu pourras lancer mon chapeau sur la glace, promit mon père en essuyant soigneusement le rebord de son Stetson avec le revers de sa manche.

Ma mère, debout devant la cuisinière, occupée à brasser ses chaudrons, ne se retourna même pas, s'avérant de nouveau une très mauvaise escrimeuse incapable de m'effleurer de quelque façon.

Incapable de me toucher. Incapable de me sentir. Toujours insensible à mon bonheur.

Elle prit cependant le soin d'ajouter son grain de sel.

— Calme-toi un peu, Gérard, c'est juste une partie de hockey. Tu ne l'amènes quand même pas à l'oratoire Saint-Joseph, lui reprocha méchamment ma mère en essuyant ses mains humides sur son tablier graisseux.

Peut-être, mais les fidèles qui se rendaient au Forum tous les samedis soirs participaient tout de même à une vaste communion collective. D'ailleurs comment penser que nous n'assistions pas à une grand-messe lorsque le numéro quatorze de la Sainte Flanelle se dégantait, comme la bigote avant de plonger le bout de ses doigts dans le bénitier de marbre, et se signait maladroitement avant de poser le patin sur la glace !

Cette remarque désobligeante avait coupé les ailes et refroidi les ardeurs de mon père. Il avait remis lentement les billets dans la petite poche de sa chemise et n'avait plus ouvert la bouche le reste du repas.

Aussitôt la dernière bouchée avalée, il avait regagné le boudoir où il était disparu dans un épais brouillard produit par la fumée blanche de son Bolivar. Un gigantesque nuage de fumée opaque l'enveloppait au point qu'on avait l'impression qu'il se réfugiait dans un énorme cocon à l'intérieur duquel il trouvait la paix.

Ce soir-là, le sommeil du juste tarda. Mon cœur battait la chamade et mon visage rayonnait d'une joie indescriptible. Je pensais aux joueurs en noir et blanc du petit écran et je les imaginais désormais peints de couleurs vives, comme je les avais si souvent observés sur mes cartes multicolores. Un arc-en-ciel tricolore apparut soudainement dans la nuit.

Les jours précédant le samedi tant attendu me parurent une interminable traversée du désert. Jamais le temps ne me sembla aussi long de toute ma vie. Ma fébrilité résultait d'un heureux mélange de circonstances : assister à ma première partie de hockey au Forum, monter dans le tramway de la très pittoresque rue Sainte-Catherine aux vitrines illuminées et aux néons clignotants et me retrouver blotti contre mon père sans la présence suffocante de ma mère. Mon rêve, pourtant, ne se réaliserait pas si facilement.

Mauvais présage ? Tout au début de la semaine, je m'attirai les foudres de ma mère pour avoir épinglé mon chapelet de première communion à la corde à linge près de son énorme soutien-gorge. Ce n'était pas pour faire sortir le soleil de sa cachette brumeuse, mais pour implorer les saints de faire gagner la Sainte Flanelle. Une victoire du Canadien me réchauffait autant que le soleil. Plus que ma mère en tous les cas.

Malheureusement, cette soirée à laquelle j'avais tant rêvé ne s'était pas matérialisée.

Quelqu'un avait échappé volontairement de l'encre sur ma page blanche.

En plus de collectionner des cartes de hockey, je recherchais insatiablement les rondelles de plastique à l'effigie des joueurs de hockey de la Ligue nationale, dissimulées à l'intérieur des emballages pudding d'une compagnie américaine. Chaque fois que je me rendais à l'épicerie du coin pour accomplir quelques commissions maternelles, je furetais plusieurs secondes dans la rangée des desserts et extirpais frauduleusement le contenu de quelques boîtes.

Ce jour-là, Mathieu m'accompagna à l'épicerie Léger. Comme d'habitude, avant de m'attaquer à la liste remise par ma mère, je m'attardai dans ladite rangée et, loin des regards indiscrets, j'ouvris rapidement trois boîtes au fond desquelles gisait mon précieux trésor.

— Garde les rondelles dans tes mains, confiai-je à mon ami, mes poches sont percées.

À la fois surpris et désemparé, Mathieu accepta, mais non sans hésiter. Il tint fermement dans sa main moite les trois jetons rouges. Par un curieux hasard, j'avais mis la main sur trois joueurs du Canadien dont j'ignorais les noms. La hâte de découvrir leur identité dicta à mes pas une cadence plus rapide.

En quelques minutes, je fis le tour des rangées, les mains chargées de provisions que je déposai de peine et de misère sur le comptoir.

— Je mets tout ça sur le compte de ta mère? me demanda monsieur Léger en pianotant maladroitement sur les touches de la caisse enregistreuse.

Pendant que j'opinais du bonnet, Mathieu glissa à mon insu les rondelles de plastique dans ma poche trouée. À l'instant même où je m'apprêtais à quitter les lieux, un énorme sac sous les bras, les jetons rouges roulèrent le long de ma jambe et atterrirent à mes pieds. L'épicier tendit le cou au-delà du comptoir pour s'apercevoir qu'il venait de se faire rouler. Mon cœur cogna si fort contre ma poitrine que je crus qu'il allait en sortir. La mort dans l'âme, je laissai Moore, Harvey et Plante moisir sur le plancher et pris la poudre d'escampette.

L'épicier sauta aussitôt sur le téléphone pour aviser ma mère de mon méfait. Sur le trottoir, Mathieu prétexta qu'il n'avait pas cru à mon histoire de poches percées et que la rougeur de ses joues l'aurait inévitablement trahi. J'estimai plutôt qu'il avait agi de la sorte pour me priver de ma sortie au Forum. En lui apprenant la nouvelle, j'avais effectivement cru déceler dans son regard angélique une pointe d'envie. Sa trahison ne me surprit guère.

Lorsque Mathieu déménagea au cours de l'été suivant, je ne versai aucune larme, même si je perdais mon meilleur ami. Un orage de rancune gronda longtemps au fond de mon âme.

En l'absence de mon père, ma mère sauta sur l'occasion pour m'infliger le pire châtiment.

— Voler en face de l'église! Mais... ma foi du bon Dieu! On t'a semé avec de la graine de bandit, s'offensa ma mère en se signant rapidement.

Je compris difficilement le sens de ses propos. Un bandit pour moi braquait des banques à l'aide d'un revolver. Ce n'était pas quelqu'un qui collectionnait des petits jetons de plastique donnés en prime à des mères qui abhorraient le hockey. Je ne ressentis aucune culpabilité, même après que ma mère m'eut administré une bonne fessée.

Lorsque mon père fut mis au parfum de mon délit, il tenta de plaider ma cause avec ardeur, mais ma mère ne l'écouta et ne le regarda même pas. Quelle tristesse de constater que durant toutes ces années de vie conjugale, ils s'étaient vus sans se regarder, entendus sans s'écouter et côtoyés sans réellement se connaître ! « Est-ce ainsi que vivent toutes les mères et tous les pères ? » me demandai-je en imaginant le crucifix au-dessus de leur lit.

La chance au coureur que revendiquait mon père tomba littéralement dans l'oreille d'une sourde et il dut, la mort dans l'âme, baisser pavillon. Le mien étant désormais en berne.

Je fus donc privé de cette sortie au Forum, qui ne se présenta plus jamais. Comble de malheur, le téléviseur demeura éteint toute la soirée mais, ironie du sort, ma mère rata le même soir la radiodiffusion du chapelet. Le cardinal Léger en avait exceptionnellement devancé l'heure afin d'arriver à temps pour assister à la partie de hockey au Forum…

Mon père comprit toute la douleur que j'éprouvai alors et, le dimanche matin après la messe, il fit tourner sur son phonographe un air très émouvant. Ce fut sa manière de parler à mon cœur blessé, car même si les hommes de cette époque étaient peu volubiles, ils ne ressentaient pas moins d'émotions.

La voix de la soprano attendrit mon cœur, qui trouva une grande consolation dans la musique réconfortante de Mozart. Ce n'était pas ma mère qui comprenait mon immense chagrin, mais plutôt cette voix douce qui me consolait. Écouter Mozart avait été comme recevoir un doux baiser de ma mère ! Cette musique parvint à assécher mes larmes et à transcender les souffrances du moment.

J'entendis à nouveau cette musique quelques semaines plus tard, mais dans des circonstances beaucoup plus dramatiques. J'étais en cinquième année lorsque la directrice vint me chercher dans la classe tout au début de l'après-midi. Elle me dirigea ensuite vers l'entrée principale où un taxi noir attendait. Après une brève course, le chauffeur me déposa à l'Hôpital Sainte-Jeanne d'Arc, à l'entrée duquel une infirmière me prit la main et me reconduisit rapidement jusqu'à la chambre 213.

Je me risquai à jeter un coup d'œil par le petit hublot de la porte. Un homme au visage amaigri et au teint cireux gisait sur son lit au pied duquel un petit tourne-disque rouge et gris diffusait un concerto pour piano. Soudain mon père me reconnut et, de sa main tremblotante, m'invita à venir le rejoindre. L'odeur de son cigare embaumait la chambre. Je saluai respectueusement le prêtre qui venait de lui administrer le viatique. Il posa au même moment sur ma tête une main rassurante. Je m'avançai très lentement vers mon père, en m'arrêtant souvent.

Reculant parfois de quelques pas. Cherchant à fuir une réalité devenue insupportable. Je ressemblais, à s'y méprendre, au petit Alexandre d'un film suédois notoire.

Comme un aimant puissant, je fus attiré bien malgré moi par son corps languissant. Il avait les yeux à demi ouverts et le bleu de la mort cernait ses lèvres roses. Il m'agrippa par le chandail et ses lèvres mourantes balbutièrent des bribes incohérentes. Je tendis une oreille en direction de sa bouche pâteuse.

— Un… jour… Clément… mon… garçon… j'vais ach'ter… des… billets de… hockey… et… nous irons… tous les deux… sur la… pass'relle… du… Forum… voir le… Canadien… J'te l'jure… Rien ne pourra… nous… empêcher… Personne… Pas même ma… vilaine femme…

J'te… dois… bien ça… après tout… ce… que cette… femme… t'a fait… end…

Il n'a jamais pu tenir sa promesse.

Son âme s'envola sur des notes de piano qui montèrent lentement vers le ciel comme les volutes de son cigare.

À l'église Saint-Louis-de-France, je passai la majeure partie des funérailles la tête appuyée contre l'épaule osseuse de tante Mignonne.

— C'est toujours les meilleurs qui s'en vont, ne cessa-t-elle de répéter, profondément bouleversée.

Les voix basses de la chorale me parurent moins profondes et le son des cloches plus triste qu'à l'habitude. Une semaine avant la Nativité, mon père fut inhumé au cimetière de la Côte-des-Neiges au pied d'un énorme marronnier où l'odeur fantomatique de son havane flotte toujours.

La période des fêtes rendit le deuil encore plus insupportable.

DEUXIÈME PARTIE

Le blanc des nuages

On parle beaucoup, ces jours-ci, de l'influence du mauvais temps sur l'humeur des gens. Je crois, moi, que l'élimination du Canadien est un facteur de morosité autrement important. On ne mesure pas bien la place que prend le sport – celui qui fait rêver, celui qu'on regarde – dans la vie des gens.

Pierre Foglia

Première période

Sa mort prématurée laissa un grand vide dans la maison. La radio-phonographe s'empoussiéra rapidement et la Voix du hockey s'estompa par la même occasion. Seule l'odeur tabagique imprégnée dans la maison me rappelait la présence enveloppante de mon père. Je parvins à le ressusciter par voie olfactive jusqu'au jour où ma mère lava les tentures et changea tous les tissus des fauteuils troués çà et là par les cendres incandescentes de son éternel cigare.

Même si son odeur particulière disparut totalement, je le sentais encore près de moi. Plus près de moi que ma mère, davantage occupée à pleurer la mort de son homme qu'à s'enquérir de mes états d'âme. La mine dépitée que j'affichais ne souleva aucune compassion de sa part. Elle demeurait insensible à mon chagrin. Mon corps réclamait une étreinte, un réconfort physique qui ne trouva malheureusement aucun appel. Malgré ses élans impétueux pour soigner la moindre égratignure, mercurochrome dans une main et pansements dans l'autre, elle se montrait toujours aussi aveugle pour soulager un cœur meurtri, ruiné comme un château cathare.

— Un jour, Clément, tu comprendras tout le mal que je me suis donné pour toi, se plaisait-elle souvent à radoter après qu'elle eut accompli quelques tâches ménagères.

Ce qu'elle ignorait toutefois, c'est qu'un jour je comprendrais tout ce qu'elle n'avait pas fait pour moi.

Je me sentais comme un naufragé sur une île déserte scrutant l'horizon et vivant avec l'espoir d'être rescapé un jour. Surtout après le départ de tante Mignonne, qui déserta la maison peu de temps après la mort de son frère. Ma mère avait chassé la seule alliée qu'il me restait. Comme si elle avait voulu se débarrasser au plus vite de la seule personne avec qui j'entretenais une relation affective significative. Était-ce par jalousie ? Savait-elle des choses compromettantes ? La reverrais-je un jour ? Je ne savais trop, mais j'en gardai néanmoins le souvenir indélébile d'une femme attachante et mystérieuse.

Heureusement, le hockey me servit de bouée de sauvetage pour échapper à cet isolement. Il m'apparut comme un refuge accueillant pour vaincre la solitude et engourdir ma peine.

Après le bain hebdomadaire du samedi soir, je m'emmitouflais dans mon pyjama de flanelle carreauté et je me précipitais vers le salon en fixant les aiguilles de l'horloge grand-père qui avançaient beaucoup trop lentement à mon goût. Cette interminable attente durait jusqu'au moment où le sympathique Monsieur Esso apparaissait au petit écran vêtu de sa casquette de garagiste et de son éternel nœud papillon noir. Son ton impérial et son sourire accueillant annonçaient un moment de bonheur indescriptible.

Je me retrouvais dans le même fauteuil où j'avais si souvent regardé *La soirée du hockey* en compagnie de mon père. Pendant que je vivais intensément ce court instant de plaisir à la télévision, ma mère demeurait silencieuse en tricotant des pantoufles de laine. Seul le bruit métallique des broches me rappelait sa présence envahissante. J'aurais souhaité que les antennes de la télé RCA Victor, que nous appelions tous à cette époque des oreilles, se retrouvent sur la tête de ma mère. Peut-être que l'écoute aurait été plus grande…

Ces héros d'hiver que je croisais tous les samedis soirs dans le salon incarnèrent, après la mort de mon père, des modèles dont je tirais des leçons profitables. Dès que le froid apparaissait, je chaussais, sous l'effet magique du soleil, des patins difformes et mal affûtés en me donnant l'illusion de patiner au Forum de Montréal. C'est dans la cour familiale que je me fabriquais ce petit paradis perdu loin des regards réprobateurs. Sans souci. Le bonheur à bon marché!

À cette époque, je n'avais que ce rêve pour fuir la triste réalité. Je crus longtemps durant la Grande Noirceur que le hockey avait été inventé pour chasser la morosité hivernale et donner un peu de bonheur à ceux qui en avaient besoin. Ne serait-ce que quelques minutes par semaine. Cet opium à rabais parvenait facilement à rasséréner le cœur des orphelins.

Malgré l'effet salvateur du hockey, cette existence devint de plus en plus pénible, car je me sentais peu important aux yeux de ma mère. Je n'avais pas répondu à ses attentes et j'en payais le prix. Le prix de l'abandon. Aujourd'hui, je crois toujours que les enfants n'existent que dans la mesure où ils comptent pour leurs parents. Qu'ils sont en fait une de leurs raisons de vivre et qu'ils participent à leur bonheur. Mais comme je comptais peu pour ma mère, Dieu merci la Sainte Flanelle comptait beaucoup pour moi.

Quelques années plus tard, lorsque je pris la direction de l'orphelinat Saint-Arsène, je réalisai que j'avais encore moins de valeur que je le pensais pour celle qui m'avait donné la vie.

Elle décida de mon sort le jour où elle sentit le tapis lui glisser sous les pieds. Cette décision arbitraire corroborait ainsi le verdict implacable de sœur Denise-des-Anges, qui avait vu en moi une âme perdue et un esprit rétif. Ma conduite délurée et périlleuse ne fit cependant rien pour la contredire.

Ainsi, quand ce n'était pas cette voisine malcommode qui nous réclamait sans cesse le coût des carreaux brisés à la suite d'un lancer frappé mal dirigé, c'était ce voisin aux manières affectées qui se plaignait de mon langage un peu trop populaire pour ses chastes oreilles.

— Tu veux me faire mourir ! C'est ça que tu veux ? Si tu continues comme ça, c'est ce qui va arriver, pleurnichait ma mère en essuyant quelques larmes de crocodile.

Elle tenait fréquemment ce genre de propos quand elle était en colère et, notamment, lorsque les voisins venaient frapper à sa porte. Le point qui chapeautait le verbe mourir était comme un boulet de canon qui anéantissait ma spontanéité et la confiance qui en découlait. Les blessures infligées par de telles mères ne guérissent jamais ! Stigmates indélébiles !

Aussi, le restaurateur en face de l'église m'interdit l'accès à son commerce, car au lieu d'assister à la messe dominicale, j'y passais la majeure partie de mon temps à me rincer l'œil dans les pages du dernier *Playboy.* L'épicier Léger l'imita craignant que je récidive.

Le vendredi soir après le souper, mes amis et moi partions à la recherche de balles perdues sur les toits, mais c'était beaucoup plus pour émoustiller nos sens à l'éveil de notre sexualité. Nous rêvions de surprendre à travers les puits de lumière des jeunes filles dans leur baignoire. Rêve qui ne fut exaucé qu'en de très rares occasions mais combien lubriques. Cette nourriture fantasmatique allait me sustenter durant de nombreuses nuits.

Ces gestes débridés parvinrent aux oreilles chastes de ma mère qui jugea ma conduite indigne d'un bon catholique. Je fus alors contraint de faire la narration de mes aventures au confesseur qui, à ma grande surprise, prenait un vif plaisir à les écouter et à me les faire répéter. Ma témérité ne s'arrêta toutefois pas là.

Je craignais rarement le danger puisque mon ange gardien veillait constamment sur moi. Je conservais toujours précieusement à l'intérieur de mon portefeuille une découpure jaunie du journal *La Presse.* On y annonçait le décès de mon père en précisant qu'il me protégeait de tous les périls. J'étais un peu comme le capitaine du navire qui épingle la photo d'un proche disparu pour le protéger d'un éventuel naufrage.

Or, cela avait l'effet de décupler mes forces et de me faire croire invincible. Ce ne fut cependant pas l'avis de l'inspecteur municipal lorsqu'il avisa ma mère du danger que je courais en m'aventurant à l'intérieur des égouts de la rue.

Égarer la balle qui animait nos parties de hockey s'avérait le pire drame de nos vies, car cela mettait un point final à notre jeu. Comme nous n'avions que ce loisir, perdre une balle signifiait une insupportable oisiveté. Ainsi, quand la bouche d'égout gobait notre balle, nous soulevions le couvercle du trottoir à l'aide de nos bâtons de hockey et désignions celui qui devait descendre à l'intérieur. Comme j'étais le plus grand de la bande, mon élection à bras levés se faisait toujours à l'unanimité.

Je rampais alors jusqu'à l'embouchure du canal comme un valeureux soldat investi d'une mission cruciale. Toutes les mains des joueurs agrippaient fermement mes pieds et me descendaient lentement tête première jusqu'à ce que je récupère la balle flottant sur les eaux usées. Une fois remonté, j'étais accueilli aussi chaleureusement que si j'avais marqué le but vainqueur durant la période de prolongation.

La lettre de l'inspecteur municipal pesa lourd dans la balance et incita désormais ma mère à m'envoyer sous d'autres cieux où l'on m'inculquerait les valeurs chrétiennes chères aux Frères Saint-Gabriel.

Après la période des fêtes, je pris donc la direction de l'orphelinat, le chandail du Canadien enfoui discrètement au fond de ma valise. À l'arrêt de la ligne numéro un, le froid cinglant du nord nous faisait danser en attendant le trolleybus. Il arrivait souvent que le trolley se décroche de l'immense toile d'araignée retardant alors sa course.

Après quelques minutes de retard, le trolleybus surgit enfin. Les pieds complètement gelés, nous prîmes d'assaut les sièges au pied desquels soufflait un peu d'air chaud.

Une fois dégelée, ma mère débita un laïus délirant sur ma conduite à venir tandis que je parcourais la manchette de *La Presse* que tenait à bout de bras un vieux monsieur au crâne aussi reluisant qu'une patinoire fraîchement arrosée : « Triomphe rebelle à Cuba ».

L'épithète attira aussitôt mon attention. Je l'avais entendu tellement de fois proférer par les religieuses lorsque je désobéissais que je ne pouvais croire au sens méritoire qu'on lui prêtait aujourd'hui. Existait-il ailleurs dans le monde d'autres Maurice Richard ? Existait-il d'autres modèles à travers lesquels le peuple puisse se reconnaître ? Existait-il d'autres populations agitées qui descendaient dans les rues pour accueillir leurs héros par de folles acclamations ? Témoin de ma rêvasserie, ma mère m'en sortit brusquement.

— Si je te place à l'orphelinat, c'est pour ton bien. Tu vas te faire des amis et je viendrai te voir une fois par mois si ça va bien. Je vais prier pour toi tous les jours. Si tu t'ennuies, tu pourras me téléphoner une fois par semaine. Conduis-toi en bon chrétien et, surtout, ne me fais pas honte. Pense à ton père qui nous regarde d'en haut, mitrailla ma mère à bout de souffle.

Je n'écoutais que d'une oreille, littéralement attiré par la photo d'une foule en délire. Le sourire victorieux de Fidel Castro m'insuffla une dose de courage dont j'avais grand besoin à cet instant. Soudain ma mère se leva d'un trait et tira sur la corde qui fit tinter la cloche signalant la fin de notre voyage.

— À la grâce de Dieu ! murmurai-je en talonnant ma mère.

Après avoir franchi la grande porte de l'orphelinat Saint-Arsène, nous longeâmes un long corridor jalonné de nombreux cadres sur lesquels apparaissaient les photographies de professeurs tombés au champ d'honneur. Au bout de celui-ci, nous attendîmes quelques minutes au parloir dans le silence le plus total. Ma mère fixait le crucifix suspendu au-dessus d'un prie-Dieu comme si elle avait été hypnotisée par le Christ en personne tandis que je ne quittais pas des yeux ma valise gonflée de vêtements en chiffon. J'étais jaloux de mon chandail comme un gueux de sa besace.

Tout à coup, le frère Antonio surgit de nulle part, vêtu d'une soutane beaucoup trop courte et dans laquelle il flottait littéralement. Une barbe grisonnante camouflait des joues dégonflées et une dentition défraîchie. Il était au mitan de la trentaine, mais on aurait pu facilement lui donner quarante-cinq ans. Il toisa ma mère et me tapota la joue en guise de bienvenue. Je baissai respectueusement la tête. Il était peu volubile et ses longs doigts noueux aux ongles noirs meublaient le temps en faisant virevolter la croix qui pendait au milieu de sa poitrine. Les multiples recommandations de ma mère tombèrent lourdement dans le creux de ses oreilles comme de grosses pierres lancées au fond d'un lac. À l'exception d'une par contre :

— Vous savez, Clément aura douze ans dans quelques mois. Mais ça ne l'empêche pas de mouiller encore son lit. Je suis vraiment découragée ! Je l'ai chicané et puni souvent, mais il n'y a rien à faire. C'est une vraie tête de cochon comme son père ! Je me demande si on ne devrait pas lui mettre une couche, ironisa ma mère en boutonnant son long manteau de fourrure.

Ses paroles désobligeantes rougirent aussitôt mes joues. L'œil habile du frère décela avec justesse la secousse sismique qui fissurait tout mon être.

— Ne vous inquiétez pas, Madame Belzile, nous allons lui donner toute l'attention désirée et veiller à son bien-être. Il arrive parfois que la perte d'un être cher provoque une énurésie nocturne. C'est une situation fréquente dans un orphelinat. Il ne faut pas trop dramatiser ! Il faut lui permettre de grandir en lui proposant des activités qu'il aime, suggéra le frère Antonio avec une assurance désarmante.

Sa repartie me rassura et pâlit d'un coup mon visage rubescent.

Ma mère tourna les talons énergiquement. Elle m'embrassa sèchement et me tendit la valise qu'elle portait depuis notre départ de la maison. La rupture ne fut guère déchirante et encore moins larmoyante. Nous étions à des années-lumière des scènes bouleversantes vécues sur le quai des gares en temps de guerre.

Elle ne se douta pas un seul instant qu'elle venait de transporter une valise au fond de laquelle gisait mon chandail du Canadien. Un objet réconfortant dont je ne pouvais me séparer. Ma mère, elle, n'allait pas me manquer.

Je l'observai s'éloigner allègrement de l'orphelinat. Elle ne se retourna pas. Elle marchait d'un pas léger comme si elle était libérée d'un lourd fardeau. En fermant les rideaux, je pensai aux nombreuses fois où elle dut endurer le va-et-vient continuel de seaux d'eau remplis à rebord déferlant sur le prélart de la cuisine et provoquant ses sautes d'humeur et ses paroles blessantes. La propreté du plancher de la cuisine comptait plus pour ma mère que le bonheur de voir son fils patiner librement dans la cour familiale. Je réalisai quelques minutes plus tard que je n'aurais plus à me préoccuper d'arroser la patinoire.

— As-tu apporté tes patins, me lança le frère Antonio en gagnant le grand escalier qui menait au dortoir.

— Je ne savais pas que je pouvais les apporter, répondis-je en reluquant par la fenêtre du palier toutes les patinoires de la grande cour.

— C'était pourtant écrit noir sur blanc, rétorqua vivement le frère malingre.

— Je n'ai rien vu de tout ça, affirmai-je timidement.

— Bah! Ça ne fait rien mon gars! Viens me voir demain après le déjeuner, je vais t'en refiler une paire. Je pense que tu vas en avoir besoin, me confia le frère Antonio en mimant, avec un bâton de hockey imaginaire, un lancer du poignet.

En pénétrant dans le dortoir silencieux, un parfum de chaussettes me chatouilla les narines. Sous l'éclairage blafard d'une veilleuse, j'ouvris rapidement ma valise. J'extirpai mon chandail tricolore du fond de la valise et le glissai soigneusement sous mon mince matelas devant le regard amusé du frère Antonio.

La promiscuité des lieux ne favorisait guère l'intimité, de sorte que mon voisin, à moitié endormi, entrevit mon chandail et leva le pouce dans les airs en signe d'approbation. Je me sentis déjà moins seul. Je ne mis que quelques minutes pour fermer l'œil et ce, malgré l'inconfort de mon petit lit de fer.

— C'est qui le numéro sur ton chandail, susurra mon voisin durant la messe matinale.

— Quatre, fis-je en cachant mon pouce derrière mes doigts brandis.

— Hein ? Drôle de hasard ! C'est mon joueur aussi, lança candidement Francesco.

Un orphelin de père comme moi et qui avait Jean Béliveau comme modèle ne pouvait être une mauvaise personne. Je me liai aussitôt d'amitié avec ce grand noir aux yeux de braise. Francesco Castillo me prit sous son aile et sa bienveillance facilita grandement mon adaptation dans un milieu où la méfiance était de rigueur. Quelques cartes de hockey exigées en échange assurèrent ma protection. Né d'une mère québécoise, ce bel Italien avait hérité de son grand-père la passion du hockey et de la Sainte Flanelle.

J'appris donc très tôt à refuser les récompenses remises dans la chambre de certains frères pour de menus travaux exécutés en dehors des heures de cours. Je me tins le plus longtemps possible à l'écart de l'infirmerie où il fallait parfois se dévêtir pour un simple mal de gorge, un mal de ventre ou une cheville endolorie. J'appris aussi à cacher mes pantoufles lorsque le frère Stanislas, mandaté pour veiller à la discipline du dortoir, les bottait sous les lits afin d'observer les jeunes garçons ramper comme des vers de terre pour les récupérer. Ce rituel matinal auquel s'adonnait le vieux frère bedonnant l'émoustillait, car les robes de chambre des pensionnaires dénudaient des épidermes jeunes et frais. Toutefois, les nombreuses plaintes dirigées à son endroit eurent tôt fait d'avoir sa grasse et vilaine peau.

Les conseils de Francesco me furent très salutaires. Cependant, je fus souvent contraint de visiter le frère infirmier étant donné les nombreuses blessures reçues sur la patinoire. J'étais tellement bien protégé par mon équipement, si désuet soit-il, que je ne craignais pas une sournoise incursion. Le plus souvent un diachylon suffisait ainsi à colmater une éraflure sur le nez ou le front à la suite d'un coup de bâton de hockey ou d'une rondelle reçue par inadvertance.

Or, il faut dire que ça brassait pas mal fort sur la glace. Je ne parle pas ici de la neige qu'il nous fallait pelleter avant de disputer une partie, mais de l'entrain et la vigueur qu'appliquaient les frères au hockey. Ils patinaient tous à un train d'enfer et se mêlaient naturellement aux orphelins, oubliant leur longue soutane qu'ils roulaient jusqu'à la ceinture. Le hockey réveillait l'enfant qui sommeillait en eux, durant quelques heures du moins.

Les Frères Saint-Gabriel n'étaient pas des anges, loin de là. Ils étaient habiles à manier la rondelle, mais parfois salauds et très rudes dans les coins de la patinoire. Malgré de vieux patins mal affûtés et beaucoup trop grands, je me démenais comme un diable dans l'eau bénite. Je ressemblais à bien des égards au petit moustachu sympathique tournoyant, trébuchant et s'agrippant fermement aux bras des autres dans le film *Charlot patine.*

Après quelques semaines, j'améliorai sensiblement mon coup de patin grâce au frère Antonio qui ne ménageait jamais ses efforts pour m'aider à rester debout. Comme s'il avait voulu m'enseigner à me relever après de violentes chutes. Ce maître sagace avait le don de dissiper mes craintes. La confiance qu'il me témoignait me donnait une erre d'aller m'évitant de m'empêtrer dans mes souvenirs.

Les frères me permettaient de vivre des moments inoubliables et de grandir par la même occasion. C'est pour cette raison que je ne m'ennuyais jamais, car ils réussissaient facilement à suppléer aux joies de la famille et à chasser de mon esprit un sombre passé.

Lorsque nous quittions la patinoire, les joues rougies par le froid intense, nous frappions tous avec nos bâtons de hockey, les orphelins comme les frères, une rondelle fétiche accrochée au mur de ciment donnant accès au vestiaire. Il s'agissait de la rondelle du cinq cent vingt-cinquième but de Maurice Richard, montée sur une plaque commémorative et offerte lors du traditionnel festival de l'orphelinat. Sur nos joues roses et rebondies resplendissaient la santé et la joie.

Les frères Henri et Maurice Richard, de même que quelques joueurs du Canadien, nous visitaient régulièrement et, notamment, durant les festivals au cours desquels ils étaient invités à mettre la rondelle en jeu tout au début du tournoi de hockey. Les frères de la congrégation de Saint-Gabriel croyaient aux vertus du sport et n'hésitaient jamais à inviter les joueurs de la Sainte Flanelle qui répondaient toujours promptement à leur requête. Leur passage illuminait les lieux et semait le bonheur partout où ils étaient accueillis. La visite des joueurs du Tricolore injectait une dose annuelle d'espoir pour certains et une joie céleste pour d'autres.

Notre condition attirait la sympathie de l'organisation montréalaise parce qu'elle comprenait que nous étions pour la plupart privés de nos pères. Ces joueurs de hockey auxquels nous nous identifiions remplaçaient la figure paternelle qui nous manquait terriblement. Leurs comportements exemplaires nous servaient de modèles à suivre. Nous apprenions à nous adapter à la vie sociale et à trouver une solution à nos problèmes en imitant le comportement de ces adultes. Jean Béliveau demeurait pour moi un exemple de probité, de courage et de générosité.

Après la conquête de la coupe Stanley par le Canadien le 18 avril 1959, une rumeur circulait à l'intérieur de nos murs selon laquelle Fidel Castro, alors de passage à Montréal, visiterait un orphelinat notoire. Mais, pour des raisons obscures, *el Comandate* s'arrêta plutôt à l'Hôpital Sainte-Justine, lieu toujours visité par les joueurs de la Sainte Flanelle durant la période des fêtes. Ce rituel annuel auquel se livraient gaiement les joueurs avait l'effet d'un baume lénifiant sur tous ces jeunes cœurs meurtris par la maladie.

Ainsi, qu'il soit d'ici ou ailleurs, qu'il manie le bâton ou le fusil, qu'il évolue sur la patinoire ou dans le maquis, le héros invincible qui vainc ses ennemis devient un modèle de vaillance et de ténacité pour celui qui s'identifie à lui. Nous triomphions nous aussi de l'adversité, mais par personnes interposées. Adultes, nous saurions bien comment conjurer nos démons.

À la mi-avril 1960, après la conquête d'une cinquième coupe Stanley consécutive, le frère Antonio nous apprit que l'organisation du Canadien de Montréal présenterait à nouveau le trophée légendaire au cœur du gymnase. Plusieurs vedettes de l'équipe se joindraient à la fête printanière, dont un certain numéro quatre, et se prêteraient de plus à une séance d'autographes. À l'annonce de cette extraordinaire nouvelle, je déguerpis aussitôt vers le dortoir.

— Tu n'aurais pas vu mon chandail du Canadien par hasard, demandai-je à Francesco en fouillant sous mon matelas.

— Non, mais j'ai une petite idée d'où il se trouve par exemple, me répondit mon voisin sur un ton convaincant.

— Ah oui ! Et… où ça ? fis-je en rabattant furieusement mon matelas.

— Dans l'armoire des objets perdus, confirma l'Italien.

— Comment ça les objets perdus? répliquai-je rouge comme un coq.

Durant le congé pascal, draps et couvertures étaient ramassés par le service de la buanderie. Comme il était interdit de cacher quoi que ce soit sous les matelas, l'orphelinat se gardait le droit de tout recueillir. L'établissement religieux avait le privilège de remettre, de jeter ou de conserver les objets retrouvés. C'était une décision arbitraire et sans appel.

Ses origines italiennes semèrent le doute dans mon esprit. À juste titre d'ailleurs, car son père n'était pas mort comme il le prétendait, mais croupissait en taule pour avoir braqué une banque.

Francesco possédait un don particulier hérité de son père passé maître dans l'art d'ouvrir les coffres-forts. Armé d'un rossignol fabriqué d'un cintre tordu, mon voisin pouvait ouvrir n'importe quelles serrures et pénétrer partout où il le désirait.

Son adresse en faisait le roi du dortoir. Tous le respectaient car ses descentes nocturnes dans les cuisines en rassasiaient plus d'un tant et si bien que les frères ne surent jamais qui chapardait les vivres durant la nuit. L'omerta régna durant tout son séjour.

Durant la nuit précédant la visite du Canadien, Francesco et moi étions descendus dans la buanderie, munis d'une lampe de poche empruntée pendant la sieste du surveillant, qui ronflait comme un orgue. Le pâle faisceau lumineux guida nos pas vers l'armoire où se trouvaient les objets retrouvés, mais rarement rendus.

Sans trop de difficulté, Francesco parvint à faire valser le pêne qui libéra les grandes portes de l'armoire à l'intérieur de laquelle gisait un inextricable enchevêtrement de tissus multicolores. On y trouva aussi quelques objets hétéroclites et plusieurs revues obscènes chipées aux oncles durant les week-ends. Je réalisais maintenant pourquoi certains objets n'étaient jamais rendus.

— Je ne comprends pas. Ton chandail devrait être ici, me souffla Francesco, la mine déconfite.

Je le dévisageai d'un air suspect. Nous regagnâmes rapidement le dortoir au son de légers ronflements. Je mis quelques minutes avant de fermer l'œil, encore ébranlé à l'idée de ne plus revoir mon chandail.

Le lendemain matin, je fus surpris de me réveiller encore au sec. Mon chandail n'opérait définitivement plus la même magie. Je n'avais plus besoin de ce morceau de tissu tricolore pour me rassurer. Je pouvais désormais vivre sans ce précieux doudou. Depuis mon séjour à l'orphelinat, j'avais gagné un bon pouce en hauteur, mais un pied en profondeur. J'étais dorénavant immunisé contre toutes brimades, moqueries et quolibets cruels. J'étais certes peiné de ne plus avoir mon chandail tricolore, mais enfin heureux de ne plus mouiller mon lit.

« À quelque chose malheur est bon », pensai-je durant la messe matinale.

La fébrilité qui régnait ce matin-là au réfectoire ensoleilla mon déjeuner. Un air de fête flottait au-dessus de nos têtes comme la veille de Noël. Chaque printemps ramenait une nouvelle vague de vie et nous la sentions encore plus maintenant à l'intérieur des murs de l'orphelinat. Nous attendions tous avec le même brûlant enthousiasme la venue des joueurs du Canadien de Montréal qui ramenait la coupe Stanley une cinquième saison consécutive.

Dans le gymnase aménagé pour accueillir les héros du jour se pressait une horde d'élèves et de frères le sourire fendu jusqu'aux oreilles. Des cris s'élevaient et retentissaient des quatre coins du gymnase où régnait une atmosphère imprégnée de communion et d'allégresse. Les Richard, Béliveau, Plante et Geoffrion reçurent un accueil des plus chaleureux et grandement mérité pour avoir démontré un courage et une persévérance au-dessus de toutes discussions. Ils étaient fiers de poser à côté de la coupe qui brillait de tous ses feux.

Une longue queue d'admirateurs s'étirait dans le gymnase au bout de laquelle je pouvais admirer le visage noble de Jean Béliveau. Plus je m'approchais du but et plus la feuille que je tenais frissonnait comme si les joueurs avaient soufflé un vent de folie sur nous.

Je sentis tout à coup derrière moi la présence inopinée du frère Antonio qui tenait derrière son dos un petit sac de toile.

— Tiens, Clément, j'ai trouvé ça. Je pense que tu vas en avoir besoin très bientôt, me lança le frère en déroulant la laine tricolore de mon chandail.

Je me retins pour ne pas lui sauter au cou. Je n'y comprenais rien et mes questions demeurèrent sans réponses puisque le frère Antonio s'éclipsa sur les chapeaux de roues. Je me rappelai qu'il avait choisi un prénom pour plaire à sa mère qui vouait une grande admiration à saint Antoine de Padoue invoqué par les croyants pour retrouver des objets perdus...

— Je t'avais bien dit que je ne l'avais pas caché, me confia Francesco en se retournant vers moi.

Mais, si jamais un jour tu veux l'échanger, j'ai quelques revues cochonnes qui pourraient t'intéresser.

— Je m'excuse d'avoir douté de ta parole, bredouillai-je en lui tendant une main qu'il serra mollement. Mais oublie ça ! Un chandail signé de la main de Jean Béliveau, ça vaut pas mal plus cher que des filles toutes nues.

Je ne pouvais contenir toute la joie qui m'habitait à ce moment. Rendu près du numéro quatre, je fus impressionné par sa taille gigantesque. Je lui remis aussitôt mon chandail qu'il s'appliqua d'autographier d'une calligraphie lisible et soignée. Sa grande main velue avala la mienne, mais sans faire montre d'une force excessive.

Homme simple et généreux, il reçut de toutes parts des félicitations cordiales. J'aurais aimé lui dire toute l'admiration que je lui vouais, mais le courage me fit défaut. Il reste que l'enfant que j'étais alors vécut cette journée comme la plus belle de sa courte existence.

Le lendemain, je n'en glissai aucun mot à ma mère de peur qu'elle n'entache mon bonheur d'une remarque désobligeante à l'égard de mes héros. Je savais qu'elle me visitait plus par devoir que par sollicitude.

— Je travaille maintenant comme sacristine à l'église Saint-Louis-de-France et j'aurai de moins en moins de temps à te consacrer, m'apprit-elle en fermant son parapluie.

Cette nouvelle signifia entre autres que je passerais les vacances estivales aux Grèves de Contrecœur, à la Colonie Saint-Arsène. J'y serais, selon ses dires, plus heureux que de traînasser dans les ruelles à ne savoir que faire. Je pourrais alors me faire de nouveaux amis et pratiquer de nombreux sports.

Or, ce qui me chagrina le plus fut de me séparer de Francesco qui passait son été chez son oncle serrurier. Il travaillait au magasin où il peaufinait sa maîtrise de ce métier qu'il rêvait de pratiquer un jour.

Le jour de mon départ, ma mère fixait constamment les aiguilles de l'horloge qui avançaient beaucoup trop lentement à son goût. Au moment de nous quitter dans un parloir presque désert, je lui demandai de mettre mon chandail en sûreté à la maison. Je n'en avais plus besoin à l'orphelinat et je craignais que l'on me le subtilise à nouveau. Elle acquiesça en dodelinant de la tête. Je ne savais trop si je pouvais lui faire confiance.

— Je voudrais que vous le cachiez au fond du coffre de cèdre dans le sous-sol, insistai-je fermement en lui présentant la laine tricolore.

— Veux-tu bien me dire pourquoi tu tiens tant à garder un chandail qui ne te fait plus ? s'offusqua ma mère en levant le chandail au bout de ses bras charnus.

— Je sais que ça peut vous paraître étrange, mais c'est une laine qui m'a procuré beaucoup de chaleur lorsque j'avais froid et je tiens à la garder en souvenir de celle qui me l'a offerte, répondis-je en la regardant droit dans les yeux.

— Ah ! J'imagine que tu veux parler de l'artiste. La bohème. J'allais l'oublier celle-là, mais puisque tu m'y fais penser. Les nouvelles que j'ai reçues de ta tante ne sont pas très encourageantes, me confia-t-elle en fourrant la laine en chiffon au fond de son énorme sac à main.

— Qu'est-ce qui se passe ? demandai-je, ébranlé par la nouvelle.

— J'ai reçu la visite de son frère Charles la semaine dernière qui voulait absolument te rencontrer, m'informa ma mère en ajustant son bibi dans le vaste miroir du hall d'entrée.

— Et pour quelles raisons ?

— Il voulait que tu te rendes au chevet de sa sœur, qui est gravement malade. Un cancer, je pense. Elle tenait mordicus à te voir, ajouta-t-elle la main gantée sur la poignée de la porte extérieure.

— Qu'est-ce que vous lui avez répondu ? balbutiai-je.

— Que tu étais pensionnaire et qu'il était hors de question que tu t'absentes de l'orphelinat pour aller visiter une vieille tante moribonde, me lança-t-elle sans la moindre compassion dans la voix.

— Qu'est-ce qu'elle peut bien me vouloir ? murmurai-je à la cantonade.

— Je n'en sais moins que rien et ça ne m'intéresse pas du tout de le savoir, coupa ma mère en ouvrant son parapluie.

Je me retirai la tête basse, le dos rond et les larmes aux yeux. Cette nouvelle m'avait complètement chaviré et j'étais à court de bouées de sauvetage. La Sainte Flanelle ne jouait pas tous les jours…

Un magnifique pied-de-vent, longue colonne de lumière céleste, s'insinua par les grandes fenêtres du dortoir, jetant sur mon couvre-lit une lumière éclatante. Assis au pied de mon lit, je pensais à ma tante du plus profond de mon cœur. De bons souvenirs se bousculèrent dans ma tête. Une énorme boule de chagrin remonta rapidement et m'étrangla au point de m'empêcher de respirer. Je n'y parvins finalement que lorsqu'un torrent de larmes ruissela le long de mes joues.

— Penses-y plus, Clément, tu vas le retrouver un jour, me dit Francesco en levant les yeux de son roman.

— C'est pas ça ! Il y a pire, avouai-je en sanglotant.

— Est-ce vraiment possible ? s'inquiéta l'Italien en fermant son Bob Morane.

— Je crois bien que oui, soupirai-je, inconsolable.

L'attente imminente de sa mort me hanta jusqu'aux grandes vacances qui mirent un temps fou à arriver. J'avais presque réussi à l'oublier jusqu'au jour où ma mère apparut à la Colonie Saint-Arsène des Grèves de Contrecœur accompagnée du curé de la paroisse, Sigefroid Chadillon.

Elle n'était pas aussitôt descendue de la rutilante Oldsmobile noire du curé que j'appris que ce dernier avait administré la veille les derniers sacrements à ma tante. Je décelai facilement dans les yeux de ma mère la même indifférence à l'égard de sa belle-sœur qu'elle avait toujours manifestée. Je la soupçonnai même de se réjouir de sa mort annoncée. Le curé, quant à lui, se montra affecté, même s'il savait que ma tante avait passé sa vie à en bouffer cruellement.

Tout indiquait qu'elle était à l'article de la mort et que ses jours étaient comptés. Le curé me prit à part et me souffla à l'oreille que ma tante n'avait cessé de me réclamer à son chevet.

— Est-ce que je peux monter avec vous ? J'ai peut-être encore le temps de la voir avant qu'elle meure, suppliai-je avant qu'il ne démarre.

— Ça ne donnerait pas grand-chose. Elle ne reconnaît plus personne. Le mieux que tu puisses faire en ce moment pour l'aider est de prier pour son âme et de demander à Dieu qu'elle ne souffre pas trop, répondit le curé en remontant la glace de sa portière sous l'œil impassible de ma mère.

Je revoyais dans son regard la même haine nourrie envers ma tante durant leur cohabitation. Je les avais entendues si souvent se crêper le chignon quand mon père s'absentait que la froideur démontrée par ma mère ne me surprit guère.

Ma tante s'indignait de la façon dont ma mère m'élevait et déplorait le fait que je sois tombé sur une femme aussi malveillante. Elle la disait incapable d'aimer un enfant comme il se doit. Elle la traitait de tous les noms et la menaçait de me «dire la vérité» si elle ne changeait pas d'attitude à mon endroit.

De quelle vérité s'agissait-il? Je n'en savais rien, mais les menaces de ma tante faisaient leur effet.

Bon apôtre, ma mère obtempérait chaque fois et se montrait tout miel, tout sucre pendant quelques jours, mais comme le naturel revient vite au galop, elle retombait facilement dans ses mauvaises habitudes.

La même scène se répéta souvent sans que ma tante ait eu l'occasion de passer de la parole aux actes. J'étais beaucoup trop jeune à cette époque pour comprendre le sens de ses menaces. Et, comme toute vérité n'est jamais bonne à dire, ma tante ne les mit jamais à exécution, si bien que je ne sus jamais quel secret elle me cachait. Tante Mignonne mettait toujours fin aux prises de bec avec une soif de vengeance inextinguible:

— Tu ne l'emporteras pas au paradis si facilement. J'y verrai personnellement. Je te le jure.

Pourquoi ma mère m'empêchait-elle de voir ma tante? Que craignait-elle que j'apprenne? Que j'avais été conçu hors des liens sacrés du mariage? Qu'elle avait été contrainte de se marier pour camoufler une grossesse non désirée? Qu'elle s'était mariée enceinte sans que mon père le sache? Qu'elle avait eu des relations avec un autre homme que mon père? Il n'y avait cependant aucune équivoque: ma mère essayait de taire quelque chose dont elle était peu fière.

Toutes ces questions me hantèrent une bonne partie de la nuit. Je n'aurai probablement jamais de réponses. À moins que ma mère ne se mette à table. Ce qui n'arrivera sûrement jamais. Tante Mignonne allait donc emporter dans sa tombe un secret qui me concernait. Ma mère n'appréhendait plus l'estocade qu'elle redoutait tant. C'est en regardant s'éloigner la voiture luxueuse de monsieur le curé que ces sombres pensées remontèrent à la surface, elles qui n'avaient pas ressurgi en moi depuis très longtemps.

Dans la petite chapelle de fortune aménagée à l'orée du bois, j'essayai tant bien que mal de prier comme me l'avait prescrit le curé, mais j'en fus malheureusement incapable. Les seules fois que j'avais prié, c'était pour demander au bon Dieu de faire gagner le Canadien et de ramener la coupe à Montréal, et Dieu m'écoutait puisque la Sainte Flanelle la gagnait souvent. Les propos du curé Chadillon m'avaient donné un coup de grisou et ce n'est que le lendemain après-midi que je réussis à dénouer le nœud que j'avais dans la gorge. Il faut dire que le rituel quotidien auquel je me livrais avait le don de me donner des ailes et de me faire rêver.

Ainsi, quand la proue d'un navire apparaissait au loin sur le lac Saint-Pierre, je me précipitais, comme la majorité des garçons du camp, à vive allure sur le promontoire qui surplombait le majestueux fleuve Saint-Laurent. La longue attente meublait le temps et nourrissait mes rêves les plus fous. Lorsque le capitaine nous apercevait juchés sur le cap, il activait à maintes reprises la corne de brume pour nous saluer. C'était une façon de signaler au monde notre présence.

Cette journée-là, je saluai différemment le navire qui remontait vers Montréal. Je priai pour que mes pensées profondes montent à son bord et aillent rejoindre celles de ma pauvre tante sur son lit de mort. Ce fut la façon la plus originale que je trouvai pour lui faire mes adieux et lui dire combien je l'aimais. Je ne quittai le promontoire que lorsque la poupe du navire se fondit avec l'horizon.

Ma tante partit pour le grand voyage quelques jours après que le navire eut gagné le port de Montréal, mais ce n'est que beaucoup plus tard que j'appris la nouvelle de sa mort dans des circonstances pour le moins curieuses.

Deuxième période

Par le plus curieux des hasards, cela se produisit durant le cours de géographie du frère Antonio. Pendant que le frère nous vantait la beauté de la voie fluviale du Saint-Laurent, je me revoyais l'été sur le cap à scruter l'horizon afin d'y voir descendre ou monter de luxueux paquebots bondés de voyageurs qui agitaient des mains amicales.

J'étais complètement absorbé dans mes pensées lointaines lorsque le son de la voix métallique du frère François-Xavier me ramena sur le plancher des vaches. Si les murs de l'orphelinat étaient reconnus pour avoir des oreilles fines, ils avaient aussi des bouches crispées.

— Clément Belzile, veuillez ranger vos livres immédiatement et descendre au parloir. Un homme vous y attend.

L'appel de mon nom par l'interphone réveilla toute la classe, qui somnolait malgré les efforts déployés par le frère Antonio pour la garder éveillée en ce lundi matin d'automne pluvieux. Le mauvais temps changeait très souvent l'ambiance d'une classe.

Je dévalai les escaliers en me laissant glisser sur les rampes de bois et arrivai en moins de deux dans la salle des pas perdus au fond de laquelle un homme vêtu de noir se tenait assis droit comme un cierge. La lumière fluorescente du parloir faisait luire ses cheveux argentés séparés au milieu par une raie parfaite. Son visage pâle barré d'une longue moustache grise entourait une bouche pincée qui mit peu de temps à s'ouvrir.

— Je suis le notaire Albini Longuépée. La succession de votre tante m'a chargé de vous livrer ceci, fit-il en soulevant facilement la boîte qu'il tenait sur ses genoux.

C'est ainsi que j'appris le départ de ma chère tante pour un monde meilleur. Elle était décédée tout au début de la rentrée scolaire. Ma mère ne m'en avait évidemment glissé aucun mot. Cette femme était méchante comme une teigne.

Comme je m'y attendais depuis longtemps, le choc fut moins brutal qu'il aurait pu l'être, mais la secousse n'en fut pas moins pénible à vivre. Je demeurai muet comme une carpe.

— Quelques jours avant de s'éteindre, Mademoiselle Thérèse Belzile a fait parvenir à mon étude un codicille, une petite note manuscrite jointe au testament, me demandant de vous remettre en main propre cette boîte, confia-t-il en me la tendant poliment.

De la dimension d'une boîte de chaussures, elle ne pesait guère plus qu'une plume.

— Veuillez signer ici, jeune homme, sur ce document attestant que vous avez bel et bien reçu la boîte en question, fit-il en sortant une plume Montblanc de son veston rayé.

— Qu'est-ce que cette boîte peut bien contenir ? demandai-je en apposant ma signature sur la ligne pointée par son index poilu.

— Je n'en sais rien, mais il y avait une note stipulant de la manipuler avec soin, me répondit le notaire en sortant sa montre de poche de son gousset.

L'homme glissa le document dans sa mallette, se coiffa de son Stetson et fila à l'anglaise.

Je descendis dans le vestiaire désert et déposai la boîte dans mon casier partagé avec mon ami Francesco.

Je n'avais pas la tête et encore moins le cœur à suivre les cours, de sorte que je demandai au frère François-Xavier, préfet des études, de m'en dispenser pour le reste de la journée. Il acquiesça, mais pas avant d'avoir obtenu le feu vert de ma mère. La facilité avec laquelle je l'obtins me laissa songeur.

Reste que toute cette mise en scène orchestrée par ma tante était pour le moins mystérieuse.

Après un dîner solitaire pris à la hâte, je récupérai mon trésor à la dérobée et me retirai au premier étage, la boîte sous le bras, dans la petite salle à manger des visiteurs. Je m'assis par terre sous la fenêtre afin de profiter de la lumière tremblotante qui s'insinuait à travers les feuilles d'un érable séculaire.

« Qu'est-ce qu'il peut bien y avoir là-dedans ? » me dis-je en la secouant légèrement.

Je mis un temps fou à délier les nœuds inextricables qui maintenaient le couvercle solidement fermé.

« Et si j'allais y retrouver le crucifix de bronze qu'on lui avait remis lors de la mise en terre de mon père ? » me demandai-je en soulevant nerveusement le couvercle.

Je chassai dare-dare ce nuage noir de mon esprit et plongeai lentement ma main à l'intérieur de la boîte au fond de laquelle gisait une sculpture enveloppée d'un papier journal jauni, que j'extirpai aussi délicatement que l'archéologue découvrant les fragments d'une statue hellénique.

Je tenais dans ma main une magnifique statuette de plâtre aux couleurs du Tricolore.

La statuette, aussi haute qu'un gros lampion, représentait un jeune garçon affublé du chandail de la Sainte Flanelle où figurait le chiffre quatre. Il inclinait légèrement sa tête coiffée d'une tuque similaire à celle que je portais chez les religieuses. Le jeune partisan avait les épaules en goulot de bouteille et ses mains jointes tenaient une paire de patins désuets. Il arborait un pantalon indigo au pied duquel la griffe de l'artiste Mignonne était gravée. La silhouette conférait au garçon une allure repentante.

Je me reconnus assez facilement, et il me fit drôle de me prendre en main. Ma tante n'aurait pu trouver mieux pour m'expédier au septième ciel.

Une petite enveloppe scotchée au fond de la boîte attira mon attention. Je la décachetai aussitôt et reconnus la belle calligraphie d'institutrice de tante Mignonne. Je tassai quelque peu les rideaux afin d'y voir plus clair.

Quand elle rendra l'âme, ta vie changera.

Férue de devinettes et d'énigmes, ma tante avait gardé la dernière comme plat de résistance.

Pourquoi m'avoir laissé ce message en fin de vie ? Pourquoi tenait-elle tant à me remettre cette statuette au point de l'avoir mentionné dans son testament ?

Ces questions demeuraient pour l'instant sans réponses. Ma curiosité en était cependant grandement exacerbée. Je déposai soigneusement la statuette dans la boîte de chaussures et enfouis l'enveloppe au fond de ma poche arrière.

Je m'en remettais maintenant à Francesco. Malin comme un singe, mon camarade semblait toujours posséder la clé pour résoudre les énigmes et percer tous les secrets.

Comme moi, il ne comprenait pas grand-chose à tout ce charabia. Il me conseilla plutôt d'en glisser un mot au frère Antonio que je croisai le lendemain dans le vestiaire.

Le frère savait ce que l'homme du parloir m'avait remis et il en profita pour m'offrir ses condoléances.

— Je trouve que cette statuette ressemble étrangement à un jeune garçon passionné du Canadien, me dit le frère Antonio en la déposant délicatement dans la boîte.

— Je vous demanderais de garder la plus grande discrétion sur ce que je viens de vous montrer, fis-je en déposant la boîte au fond de ma case et en vérifiant à maintes reprises la solidité de mon cadenas.

— Ne crains rien, je serai muet comme une tombe. Si tu sens le besoin de me parler, je serai toujours là pour t'écouter, me confia le frère, qui se montrait toujours ce grand frère protecteur.

Comme le frère François-Xavier n'avait pas perdu de temps à informer ma mère, celle-ci tenta de soutirer insidieusement des informations au frère Antonio qui n'ouvrit la bouche que pour la saluer. Sa discrétion me toucha beaucoup. Je pouvais compter sur un allié sûr.

Bien qu'elle se donnât une apparence douce et inoffensive, ma mère ne parvint pas à me tirer les vers du nez.

— Si tu veux revoir ton chandail du Canadien, tu ferais mieux de dire ce que le notaire t'a remis, insista ma mère en utilisant la bonne vieille recette du chantage.

— C'est pas bien grave ! Les mites vont s'en occuper, concédai-je avec détachement.

— Si je tombe malade un jour, tu pourras dire que tu ne l'as pas volé, pleurnicha ma mère en glissant son papier mouchoir sous la manche de sa blouse soyeuse.

Les jérémiades, le chantage, la culpabilité, les fausses larmes, bref tout l'arsenal maternel déployé pour gagner la guerre verbale y passa, mais sans parvenir à me faire plier. Pour la première fois, je tenais le gros bout du bâton et je n'avais aucunement l'intention de le partager avec quiconque.

Ma mère abandonna la partie et ne m'en reparla plus, espaçant de plus en plus ses visites. Ce qui me réjouit le cœur et me laissa la tête tranquille, obnubilé par l'ultime énigme de ma tante.

Or, que ce soit dans la classe, à la chapelle, au dortoir, au réfectoire et même sur la patinoire, le message de cette dernière me bombardait continuellement l'esprit. D'ailleurs, je l'avais tellement lu que je le connaissais par cœur au point de me le repasser dans la tête comme un microsillon que l'on fait tourner inlassablement.

« Comment une statuette inanimée pouvait-elle rendre l'âme ? » me demandai-je en récitant, complètement absorbé, le bénédicité.

J'avais pourtant appris sur les bancs de l'école que seul un être humain pouvait perdre son âme. Pas une vulgaire statuette de plâtre.

J'errais totalement lorsque le frère Léon-Marie éclaira miraculeusement ma lanterne durant son cours d'arts plastiques. Cette année-là, nous devions modeler les personnages de la crèche en papier mâché peint ensuite à la gouache. À l'aide d'un cintre replié, nous formions la structure nécessaire pour maintenir en place le revêtement extérieur. Le support de métal constituait le noyau du personnage, déterminant ainsi sa forme et son apparence. Mon personnage prit après quelques cours l'allure imposante de Balthazar, l'un des Rois mages.

Selon le frère Léon-Marie, le noyau constituait ni plus ni moins l'âme de notre personnage.

— Parfaitement, Clément, une statue de plâtre est aussi habitée par une âme, me répondit le frère en tournant la clé de la serrure de sa classe.

Ma statuette avait donc pris naissance à partir d'un noyau sur lequel ma tante avait façonné de ses doigts habiles un jeune garçon passionné du Canadien de Montréal. Le frère me fournit une piste intéressante qui trouva un écho, un certain samedi soir, lorsque je regardai *La soirée du hockey*. Une émission de télévision suivie religieusement par le peuple québécois tout au début de la Révolution tranquille.

Le commentateur René Lecavalier en assuma la description durant près de trente ans. Surnommé «la Voix du hockey», il fut un vulgarisateur très doué pour la communication.

L'élégance de son verbe donna au hockey ses lettres de noblesse et m'inculqua le goût d'apprendre la langue française. Consciencieux du travail bien fait, il recherchait toujours l'expression juste et la figure de style la plus pittoresque qui soit pour décrire les rencontres. Son apport à la qualité de la langue française dans le sport lui mérita plusieurs honneurs au cours de sa longue carrière. Qu'il ait été affecté à la couverture d'événements culturels d'envergure ou d'émissions sportives, il utilisait toujours le même niveau de langue. Il ne faisait aucune distinction.

Son style haut en couleur donnait des descriptions radiophoniques fort imagées. Quand l'intensité des lumières baissait et que le son mélodieux de sa voix envahissait le dortoir, la partie se jouait véritablement dans nos têtes.

Son vocabulaire enrichi a influencé une grande partie de la population. En ce qui me concerne, il fut l'enseignant qui eut le plus d'ascendant sur moi. Combien de fois n'ai-je pas utilisé ses expressions et ses locutions dans mes compositions françaises ? Grâce à lui, mes notes de français grimpèrent au bulletin de façon fulgurante.

Ainsi, j'appris entre autres qu'il n'y avait pas seulement le pape qui soit infaillible, mais Jacques Plante surnommé « la Merveille masquée » ; que le Canadien baissait rarement les bras ; que l'attaque massive du Tricolore s'en donnait à cœur joie ; que Maurice Richard avait tiré à nouveau son épingle du jeu ; que Dickie Moore était venu prêter main-forte à ses défenseurs ; que Marcel Bonin était un dur à cuire qui n'avait pas froid aux yeux ; que Doug Harvey défendait sa zone avec l'énergie du désespoir ; que Jean Béliveau effectuait des montées à l'emporte-pièce ; que Ralph Backstrom était un marchand de vitesse ; que les lancers de Boom Boom Geoffrion tirés à bout portant donnaient beaucoup de fil à retordre au gardien ennemi ; que Toe Blake avait souvent maille à partir avec l'arbitre de faction ; que Jean-Claude Tremblay était le magicien de la ligne bleue.

Dépêché par la Société Radio-Canada pour couvrir la guerre en Algérie, monsieur Lecavalier en avait été grandement influencé au point de donner à son vocabulaire une couleur parfois guerrière : le gardien de but a été soumis à un bombardement en règle ou a été mitraillé de toutes parts ; le petit joueur de défense se comporte comme un général ; la Comète blonde a décoché un boulet de canon vers le gardien ennemi.

Cet homme avait toujours gardé la faculté de s'émerveiller et de nous émerveiller par la même occasion.

Or, le distingué commentateur me mit la puce à l'oreille un samedi soir du mois de février. Ce soir-là, le Canadien disputait un match crucial contre les Bruins de Boston pour l'obtention de la première position du classement. Le frère Piquette, grand admirateur du Tricolore, avait allumé le vieux téléviseur RCA Victor suspendu dans un coin sombre du dortoir près du crucifix : on ne savait jamais ce que la foi pouvait susciter.

La rencontre débutait à l'heure précise, car le Canadien prenait le train immédiatement après la partie pour se rendre vers Boston où il jouait le dimanche soir. Le train quittait alors la gare de Westmount vers onze heures, et les joueurs montaient rapidement à son bord dans un wagon, Le Neuville, réservé spécialement pour l'équipe montréalaise. Les couchettes portaient les numéros des joueurs et les vétérans occupaient, hiérarchie oblige, celles du bas.

Le tortillard de la Compagnie Canadien Pacifique effectuait une escale à la gare de Sutton aux alentours de minuit et quart pour franchir le poste douanier et procéder au remplissage d'eau. Malgré le froid sibérien qui sévissait durant l'hiver, les enfants se faufilaient en douce hors de leurs maisons et se dirigeaient à la sauvette sur le quai pour accueillir leurs idoles.

À travers les vitres givrées et enfumées du wagon, les garçons tentaient de discerner les hockeyeurs qui jouaient parfois aux cartes en dégustant quelques Molson froides. Quelquefois, les joueurs sortaient et allaient à l'intérieur de la gare. Les enfants en profitaient alors pour leur soutirer un autographe que les joueurs ne leur refusaient jamais.

Une demi-douzaine de fois par saison, des étoiles tricolores illuminaient le ciel des Cantons de l'Est.

C'est ce que nous raconta ce samedi-là le frère Piquette en attendant que la rencontre reprenne, retardée exceptionnellement de plusieurs minutes à cause d'un bris mécanique de la Zamboni.

— Nous sommes au regret de vous annoncer que la troisième période va débuter avec plusieurs minutes de retard car la Zamboni, j'en ai bien peur, vient de *rendre l'âme.* Les employés du Forum s'affairent présentement à nettoyer la patinoire avec des moyens plutôt rudimentaires, confia monsieur Lecavalier à la population québécoise soudée au petit écran.

Pendant qu'un journaliste chevronné racontait aux téléspectateurs ce que le frère Piquette venait de nous relater, les yeux de mon voisin scintillèrent comme des mouches à feu dans la nuit.

— Tu sais maintenant ce que tu as à faire, me souffla Francesco en tombant en bas de son lit.

— Tu es fou ! Je ne peux pas briser la statuette de ma tante. J'y tiens comme à la prunelle de mes yeux, avouai-je, embarrassé.

— Tu ne sauras alors jamais son secret, coupa mon ami en se faufilant sous les couvertures.

Ma tante avait lancé une bouteille à la mer en priant pour que les forces mystérieuses du destin, auxquelles elle croyait fermement, me soient favorables. Le moment de faire sauter le bouchon de la bouteille était enfin arrivé. Qu'allais-je y découvrir ? Que me réservait le destin ?

Ce soir-là, je m'endormis en rêvant aux enfants qui attendaient Le Neuville sur le quai de la gare de Sutton…

Le récit fabuleux du frère Piquette m'avait engourdi l'esprit au point de reléguer aux oubliettes le message de ma tante.

Rien ne m'obligeait à agir immédiatement.

Or, le premier jour du printemps, date du premier match de la série en demi-finale entre le Canadien de Montréal et les Black Hawks de Chicago, je sortis enfin de ma torpeur et retrouvai l'enveloppe enfouie depuis des semaines au fond de ma boîte.

Durant le cours de géographie, je retirai furtivement l'enveloppe de mon sac et je relus le message, qui me laissa plutôt songeur. « Pourquoi ma vie allait-elle changer si je brisais la statuette ? » me demandai-je en rêvassant. Les idées les plus saugrenues me trottèrent dans la tête.

Pendant ce temps, pour saluer l'arrivée du printemps et nous signaler le début des séries éliminatoires de la Coupe Stanley, le frère Antonio écrivit au tableau un court extrait d'un poème écrit par des moines libertins du Moyen Âge :

Pareil renouveau dans la glorieuse saison, par l'ordre du printemps, nous commande la joie.

Rusé comme un renard, le frère Antonio avait par ailleurs fixé au-dessus du tableau le cadre du pape Jean XXIII pour observer, par les reflets miroitant de la vitre, les élèves indisciplinés.

Ainsi témoin de ma rêverie, il bondit comme un lièvre et saisit la lettre insérée à l'intérieur de mon volume. Le frère se montrait parfois une bête intraitable.

— Je veux te parler quand la cloche va sonner, me souffla sèchement le frère à l'oreille.

Le frère Antonio remit l'enveloppe dans la poche de sa soutane et enjamba aisément le marchepied qui menait à son bureau. Juché ainsi, il dominait totalement la situation.

Non, le frère n'avait pas des yeux tout le tour de la tête comme certains le croyaient.

À la sonnerie assourdissante du timbre, la classe se vida à la vitesse de l'éclair et le frère m'invita à le rejoindre sur son piédestal.

— Je me suis permis de lire le court message de ta tante, J'espère que tu ne m'en veux pas trop, me dit-il en exhibant la lettre.

L'odeur fétide de son haleine me fit reculer de quelques pas, si bien que je faillis perdre pied.

— Si ça peut m'aider à comprendre ! Tant mieux ! Mais je me demande toujours ce qui va changer ma vie !

— J'en ai une très bonne idée ! Mais il vaut mieux que tu l'apprennes par ta tante ! me confia-t-il en me remettant l'enveloppe.

— Comment être sûr que vous ne l'ébruiterez pas? questionnai-je, dubitatif.

— La phrase que j'ai écrite au tableau est tirée des chants profanes des Carmina Burana, avoua-t-il en rougissant.

Le clergé catholique avait mis cette musique à l'index parce qu'elle la jugeait contraire aux mœurs chrétiennes. Le frère Antonio possédait néanmoins le microsillon qu'il écoutait discrètement dans sa chambre. Il le faisait souvent jouer pour oublier une réclusion qu'il songeait à abandonner sous peu.

La révélation de cette confidence m'assura de sa discrétion. Je savais désormais qu'il ne parlerait pas.

— Je n'ai donc pas le choix de briser la statuette, conclus-je en enfouissant l'enveloppe au fond de mon sac d'école.

— Brise-lui le cou! Tu pourras toujours lui recoller la tête, me conseilla le frère Antonio en cassant brusquement une craie.

Je ramassai mes livres en vitesse et déguerpis pour rejoindre mes camarades dans la salle de récréation.

— Le Canadien en cinq! hurla le frère Antonio du haut de l'escalier.

— Le Canadien en cinq! répondit l'écho.

La phrase écrite au tableau par le frère revêtait ce jour-là un caractère singulier. Le printemps ramenait dans ce lieu sombre et clos une atmosphère bienfaisante et le début des séries éliminatoires n'était pas étranger à cette métamorphose.

Si une hirondelle ne faisait pas toujours le printemps, une rondelle, quant à elle, le faisait à coup sûr.

Ainsi, le soir du 21 mars 1961, au Forum de Montréal, le Canadien signa une première victoire contre les Black Hawks de Chicago. Le printemps s'annonçait joyeux et sans tracas. Deux jours plus tard, la défaite inopinée du Tricolore sema toutefois de sérieux doutes dans la tête des partisans.

La troisième rencontre que perdit le Bleu-Blanc-Rouge dans la Ville des vents s'avéra le moment clé de la série. Le Canadien avait réussi à niveler la marque trente-six secondes avant la fin de la troisième période, mais perdit au milieu de la troisième période de prolongation durant une punition infligée à un joueur du Tricolore. Ce but fort contesté souleva l'ire de l'instructeur au point qu'il frappa l'arbitre à la figure lorsqu'il le croisa sur la patinoire.

Cet instructeur anglophone abhorrait tellement la défaite, qu'à la suite d'un revers déshonorant, il avait prié pour que l'avion s'écrase, trop honteux de rencontrer la presse à l'aéroport.

La cause du Canadien semblait désespérée. La Main invisible qui avait si souvent prêté main-forte au Tricolore dans le passé l'abandonnait ouvertement.

Or, j'avais toujours en ma possession la petite médaille de saint Jude que m'avait offerte ma mère durant la nuit de Noël. La cause du Canadien m'apparut si perdue que j'élaborai un plan pour me rendre avec quelques camarades à la gare Windsor afin de remettre la médaille au capitaine.

Secrètement, quelqu'un vendit la mèche et notre plan s'écroula comme un château de sable emporté par la marée, et s'écroula aussi le Canadien qui perdit les deux dernières rencontres par blanchissage, subissant ainsi une élimination cruelle et inattendue.

Le lendemain matin de leur dernière défaite, la classe du frère Antonio ressemblait à un salon funéraire. Tous les garçons de la classe affichaient une mine patibulaire et personne n'avait le cœur à l'ouvrage. Éducateur chevronné, le frère sortit des sentiers battus durant quelques minutes afin de remonter le moral des troupes. Il nous raconta alors la défaite la plus cruelle à laquelle il ait assisté. Même après sept ans, il y songeait encore avant de s'endormir.

— C'était au printemps 1954. On était en finale de la Coupe Stanley contre les Red Wings de Détroit. La septième partie se déroulait dans la ville de l'automobile, débuta-t-il en pointant de sa longue baguette la ville sur la carte des États-Unis coincée entre les deux grandes fenêtres.

La classe était silencieuse sans être endormie. Nous étions tous suspendus aux lèvres du maître, toujours empathique à notre égard.

— Après la troisième période, la partie était à égalité. Il fallut donc jouer en prolongation. Le prochain but couronnerait alors le vainqueur de la Coupe Stanley. Au début de la période, un joueur ennemi décocha un tir d'une quarantaine de pieds. La rondelle réussit à se frayer un chemin à travers une forêt de Sherwood. Doug Harvey tenta de bloquer la rondelle avec sa main, qui frappa ensuite son épaule pour rebondir finalement derrière le gardien de but, qui ne s'attendait pas du tout à ce bond capricieux, dit le frère en mimant la trajectoire tombante du disque noir. Quand la lumière rouge éclaira le filet du Canadien, les joueurs quittèrent la patinoire la mine très basse, termina le frère encore ébranlé.

Je suis convaincu qu'à cette seconde précise un tonitruant sacre du printemps résonna dans tout le Québec, attestant notre lourd passé religieux.

Le gardien de but du Tricolore ne se remit jamais de cette effroyable défaite au point qu'il annonça sa retraite durant l'été. L'instructeur du Canadien, quant à lui, crut dur comme fer que la Main invisible avait été la seule responsable de ce but inusité, pour ne pas dire malchanceux.

Existait-il là-haut une main invisible guidant nos pas et dirigeant notre destinée ? Nul ne le sait. Pourtant l'équipe montréalaise y crut longtemps…

Ce soir-là, il ne pleuvait pas. C'était tout Montréal qui pleurait.

— Vous voyez, continua le frère Antonio, si on tient compte de l'élimination d'hier, il n'y a pas lieu d'être si morose. Il existe toujours une défaite plus crève-cœur encore. Dites-vous qu'entre deux maux, il faut toujours choisir le moindre. C'est une façon d'avoir moins mal au cœur et de moins souffrir. Maintenant, sortez votre livre de géographie à la page cent vingt-deux. Nous allons corriger le devoir.

Son récit mit effectivement un peu de baume sur nos plaies, si bien que l'élimination de la veille nous parut désormais beaucoup moins amère. Après que les Black Hawks de Chicago eurent remporté la Coupe Stanley, je décidai de mettre en pratique la leçon du frère Antonio. Je demeurais toujours persuadé que ma statuette recelait une nouvelle moins dure à avaler que le petit deuil vécu à la suite de l'élimination du Canadien. Je ne connaissais pas de plus grand *petit* deuil.

J'enfouis ma statuette au fond de mon sac d'école après l'heure d'étude et je me dirigeai au réfectoire pour le souper. Il y avait derrière moi un grand pensionnaire qui jurait à qui voulait l'entendre qu'il irait voler la coupe Stanley à Chicago, convaincu que sa résidence devait être à Montréal, pas ailleurs. J'esquissai un petit sourire admiratif en sa direction.

Après que j'eus ramassé mon couvert sur la grande table rectangulaire, je croisai à la sortie du réfectoire deux frères barbus comme Raspoutine qui se réjouissaient de la victoire des troupes castristes sur les Américains dans la baie des Cochons. Il se cachait parfois au sein de la communauté religieuse des Rouges invétérés.

« Quelle que soit leur nature, les victoires nous remplissent de joie », pensai-je en m'acheminant discrètement vers un coin désert.

Je trouvai la paix dans la salle de toilette. Je m'engouffrai aussitôt dans une petite cabine. Je sortis délicatement la statuette de mon sac d'école et la contemplai durant quelques secondes avant de lui faire perdre la tête.

Quelle matière purulente allait s'écouler de la statuette ? Quelle était cette odeur familiale que l'on m'avait cachée depuis si longtemps ? Qu'allais-je apprendre de si dévastateur qui changerait ma vie ?

J'empoignai la statuette de ma main gauche, et de ma main droite je saisis sa tête fermement. Puis j'appliquai sur elle une légère pression et elle se détacha facilement sans causer trop d'éclats. Le bruit me rappela celui d'un biscuit sec que l'on brise.

L'abcès était maintenant crevé.

Sans grande surprise, je découvris, inséré à l'intérieur de la tête, un rouleau de papier pas plus gros qu'une cigarette.

Férue de culture chinoise, tante Mignonne s'était inspirée des soldats chinois qui communiquaient entre eux, au XIIIe siècle, au moyen de minuscules messages dissimulés dans de petits gâteaux.

Cette pratique courante à l'époque avait la qualité d'assurer la confidentialité de ces messages à la nature souvent cruciale et décisive. La teneur de celui que je déroulais en ce moment ne le fut pas moins.

Contre toute attente, un étonnement immense arrondit mes yeux dès la première phrase, accélérant du même coup mon rythme cardiaque au fur et à mesure de ma lecture.

Cher Clément,

Je ne m'adresse pas à mon neveu puisque tu ne l'as vraiment jamais été. Ce billet concerne plutôt un être cher pour lequel j'ai toujours eu beaucoup d'affection. Si je n'ai jamais été ta tante, mon frère Gérard ne peut pas être ton père et sa femme Cécile n'est donc pas ta mère.

Clément, tu as été adopté en avril 1947 à l'Hôpital général de la Miséricorde de Montréal, quelques semaines après que tu eus vu le jour, le 27 mars. Notre famille a toujours ignoré le nom de ta mère qui t'avait abandonné. Tout juste avant de rendre l'âme, mon frère m'a demandé de te dire la vérité. Il voulait que tu saches qu'il t'avait toujours considéré comme son propre fils.

J'espère que tu ne m'en voudras pas trop d'avoir agi de la sorte, mais si tu lis ce message en ce moment, c'est parce que le Destin en aura décidé ainsi.

Je souhaite de tout mon cœur que tes recherches te mènent à la source de ta vie.

Tante Mignonne quand même

Pendant que mon cœur, désordonné et fou, frappait contre ma poitrine, ma tête volait en éclats comme une baie vitrée fracassée. Il y avait effectivement pire que l'élimination du Canadien ; il y avait l'élimination brutale d'un pan de ma vie balayé par une bourrasque impétueuse. Il y avait effectivement pire que voir le Canadien perde la Coupe Stanley : perdre sa mère sans l'avoir jamais connue.

Je refrénai l'envie soudaine et furieuse de lancer ma statuette étêtée contre le plancher de céramique et de la faire éclater en mille morceaux lorsque le concierge s'introduisit pour passer un dernier coup de vadrouille.

Pendant qu'il sifflotait un air connu, je déchirais en mille miettes le message que je laissai tomber dans la cuvette comme une neige floconneuse. Dès que l'air d'opérette s'estompa, j'évacuai rapidement cette immondice familiale malodorante.

Je portais désormais sur mon cœur le tatouage du laissé-pour-compte pour le reste de mes jours.

Dans mon âme bouillonnait une violente colère, mais je ne savais pas contre qui la diriger : ma mère qui m'avait laissé tomber comme une crêpe ou cette mère factice qui m'avait pris sous son aile en priant pour que je comble ses désirs les plus fous ?

Cette plaie était beaucoup trop vive à cet instant pour faire leurs procès. Je décodais mieux toutefois le regard impénétrable de ma mère adoptive qui m'avait si souvent foudroyé. J'avais vécu toutes ces années en sa compagnie comme un réfugié qui débarque en territoire inconnu.

C'est seulement des années plus tard que j'apprenais mon véritable statut.

Par contre, je conservais encore bien ancrée au fond de mon cœur toute l'affection que j'avais ressentie pour mon père. Le considérant toujours comme tel, je voulais garder à tout jamais l'image d'un père généreux et affectueux qui, même en proie à d'horribles souffrances, souhaitait encore me faire goûter au plaisir suprême.

Je n'avais pas accès ce jour-là au hockey, ce petit bonheur à rabais, pour assécher mes larmes imprégnées d'une profonde tristesse. Je n'avais encore jamais rencontré d'épaule réconfortante qui apaise et soulage. Je ne connaissais rien d'autre que mon amour du Tricolore pour oublier mes tourments. Le hockey demeurait toujours cette petite pilule de plaisir qui me rassérénait. La pharmacie du rêve était malheureusement fermée jusqu'à l'automne.

D'ici là, je n'avais rien à me mettre sous la dent.

J'étais alité depuis quelques jours, terrassé par une vilaine grippe, lorsque je reçus la visite matinale du frère Antonio.

— Tu n'as pas l'air d'être dans ton assiette, mon cher Clément ! Qu'est-ce que tu dirais d'aller te reposer quelques jours à la maison, me proposa le frère Antonio en s'asseyant au pied de mon lit.

— Je ne bouge pas d'ici, déclarai-je en relevant ma couverture jusqu'au menton.

— Sois raisonnable, voyons ! Tu pourrais profiter des soins attentifs de ta mère, ironisa le frère.

— Ma mère ! Je ne veux plus la voir, puis ma maison est désormais ici, répliquai-je vivement en toussotant.

— Est-ce que la fièvre t'aurait fait perdre la tête ? demanda-t-il en esquissant un sourire narquois.

— Moi, non ! Mais ma statuette, oui par exemple ! Je vois tout simplement plus clair. C'est tout ! admis-je en fouillant au fond du tiroir de ma table de chevet.

— Ah ! Je comprends mieux maintenant ! Aurais-tu crevé l'abcès par hasard ? s'enquit le frère Antonio candidement.

— C'est en plein ça ! Vous avez deviné ! Je suis un maudit bâtard, si c'est ce que vous voulez savoir, lançai-je en lui présentant la tête brisée.

— Il ne faut pas dire ça ! Je comprends ta colère ! C'est dur à avaler, mais ça ne change rien à la personne que tu es ! Je dois t'avouer que je ne suis pas surpris d'apprendre cette nouvelle. Dès que je vous ai croisés tous les deux au parloir la première fois, je me suis douté de quelque chose, confessa le professeur de géographie.

— Comment ça ?

— Tu ne ressembles pas du tout à ta mère…

— Ma mère adoptive ! hurlai-je dans le dortoir désert.

— C'est vrai ! Je m'excuse ! À ta mère adoptive, se reprit le frère, embarrassé.

— Il y a beaucoup de gars qui ne ressemblent pas à leur mère, arguai-je fièrement.

— C'est exact ! Mais son indifférence et son insensibilité à ton endroit m'ont mis aussitôt la puce à l'oreille. Crois-moi ! J'ai le flair pour ce genre de choses. Je me trompe rarement, avoua-t-il en me remettant la tête de la statuette.

— Bravo, mon frère ! Vous avez visé en plein dans le mille ! Dites-moi alors pourquoi je serais mieux chez moi qu'ici pour reprendre des forces ? lui demandai-je en dissimulant un sourire enfantin.

Informée de mon état de santé par le préfet des études, ma soi-disant mère se précipita à l'orphelinat le lendemain après-midi. Comme à l'accoutumée, elle le fit plus par obligation que par sollicitude. Je refusai de la rencontrer, prétextant que je ne connaissais pas cette femme. Furieuse, elle rebroussa chemin. Cet être machiavélique avait volé une partie de mon enfance et ce n'est pas une simple visite de courtoisie qui me la rendrait.

Elle s'était servie de moi dès mon âge le plus tendre comme d'un vulgaire pion qu'elle déplaçait irrespectueusement au gré de sa fantaisie et de ses humeurs.

La comédie avait assez duré. Le bruit strident de la sirène annonçait la fin d'une période mouvementée de ma vie. Je souhaitai ne plus jamais la revoir.

La pneumonie dont j'étais affecté finit par guérir au bout de quelques semaines de repos. L'air pur des Grèves à Contrecœur me fut alors très salutaire. Je repris lentement du poil de la bête et les nuages noirs qui avaient obscurci mes pensées se dissipèrent si bien que je repris goût à la vie en n'espérant qu'une seule chose: terminer au plus vite ma dernière année à l'orphelinat afin de retrouver ma véritable mère.

Le mot *pourquoi* me taraudait constamment l'esprit. Je voulais connaître les circonstances de mon abandon. J'entendais bien que ma mère me rende des comptes. Elle n'avait pu se débarrasser de son enfant en toute impunité, à moins d'y avoir été contrainte. Je désirais éclaircir ses agissements.

Pourquoi avait-on caché la merde au chat? Est-ce que ma naissance fut à ce point honteuse que l'on n'hésita pas à me jeter dans les bras d'une étrangère sans se soucier du sort qu'elle me réserverait?

Un fait demeurait irréfutable: je n'avais pas été repêché par la meilleure mère.

Tout au début de la rentrée scolaire, le frère Léon-Marie me reçut dans son atelier pour recoller la tête de ma statuette et en colmater quelques brèches. Mon ami Francesco n'était pas seulement habile avec un rossignol, mais aussi avec le pinceau, si bien que la statuette retrouva son lustre d'antan.

— Tiens, je crois que la brisure ne paraît pas trop, fit mon camarade en m'offrant l'œuvre restaurée.

Cette sculpture me ressemblait quelque peu. De l'extérieur, presque plus rien ne paraissait, sauf qu'à l'intérieur grondait un orage violent. Même la Sainte Flanelle, confinée désormais au rôle de prétendant, ne parvint pas à soigner définitivement cette profonde blessure.

— C'est du bon travail ! On dirait qu'elle n'a jamais perdu la tête, dis-je en la couchant délicatement au fond de sa boîte.

L'œuvre de l'artiste avait été préservée. J'en fus ravi. Après tout, je lui devais bien cela. Je refermai le couvercle de la boîte comme celui d'un cercueil et enterrai au fond de ma mémoire ce passé nébuleux.

Je ne savais trop si j'allais l'exhumer un jour.

Pour chasser un peu de cette acrimonie, je suivis les conseils prodigués par le frère Antonio qui croyait, comme mon père d'ailleurs, aux vertus curatives du chant. Je me joignis donc à la chorale de l'orphelinat, dirigée par le ventripotent frère Louis-Gilles, afin de ressentir l'énergie réconfortante de la musique.

Je ne regrettai nullement cette décision puisque j'en profitai pour retourner sur les lieux de mon enfance où la chorale de l'orphelinat donnait un concert de Noël.

Je me revoyais tout jeune dans la magnifique chapelle du Jardin de l'Enfance, incapable de me recueillir décemment sur le prie-Dieu. Je n'avais pas oublié les gros yeux et la semonce servie par sœur Denise-des-Anges pour ma piètre tenue.

Pendant l'interprétation du « Minuit, chrétiens », je scrutai l'assistance d'un regard vindicatif afin de repérer celle qui m'avait extorqué mes cartes de hockey, mais en vain. Dès que le frère Louis-Gilles s'inclina avec peine pour saluer l'auditoire, je m'éclipsai en douce et me dirigeai immédiatement vers la mère supérieure avec une idée bien arrêtée.

— Sœur Denise-des-Anges nous a malheureusement quittés l'été dernier pour une mission étrangère à Caleta Olivia en Argentine. Elle est partie avec une petite valise dans laquelle elle a entassé quelques objets et documents personnels qu'elle gardait sous clé dans l'armoire de sa classe, m'informa sèchement mère Marie-de-Sainte-Élizabeth.

« Aurait-elle emporté mes cartes par hasard ? » me dis-je en tournant rapidement les talons.

La réponse de la mère supérieure ne me satisfit guère, de sorte que je voulus en savoir plus. Comme le frère Antonio se vantait souvent d'avoir un oncle haut placé dans les officines du clergé, je tentai, de retour à l'orphelinat, d'en connaître davantage.

— Vous croyez vraiment qu'elle est partie en Argentine ? demandai-je au frère Antonio en laçant mes patins.

— D'après mes sources, je ne croirais pas ! Mon oncle m'a assuré qu'il n'y avait aucune sœur Denise-des-Anges à la mission des Sœurs de la Providence à Caleta Olivia, me répondit le frère en tournant le ruban gommé sur la palette de son bâton de hockey.

— Pourquoi alors faire croire qu'elle est au bout du monde ? dis-je en endossant mon chandail.

— J'ai entendu à travers les branches qu'elle traînait un passé pas trop catholique et que cela agaçait terriblement la congrégation religieuse. Elle a peut-être commis une erreur de trop qui l'a forcée à résilier ses vœux, supposa le frère Antonio en haussant les épaules.

De plus, son oncle croyait fermement qu'elle avait été mêlée, de près ou de loin, à une truculente histoire de mœurs qui coïncida avec son présumé départ vers une mission en sol étranger. Cette histoire avait, toujours selon le vieil octogénaire, fait couler beaucoup d'encre dans la presse montréalaise de cette époque.

Pour le moment, je jurai, la main sur le cœur, de faire fi de tout ce que le frère Antonio m'avait confié au sujet de la sœur rebelle. Mais j'avais le pressentiment qu'un jour j'aurais l'occasion de déterrer son passé nébuleux.

Tout vient à point à qui sait attendre.

— Pourtant ma supposée mère lui aurait donné le bon Dieu sans confession, soulignai-je en quittant le vestiaire.

— Je crois, Clément, que je ne t'apprendrai rien en te disant qu'il faut se méfier des apparences, elles sont parfois trompeuses, me lança le frère Antonio avant de s'élancer en trombe sur la patinoire fraîchement arrosée.

Si le chant s'avérait un bon remède pour chasser la morosité, la pratique du hockey n'était pas en reste non plus. Jamais je ne me désirais ailleurs lorsque je chaussais les patins et empoignais un bâton de hockey. Sur la patinoire, je ne pensais plus à rien. Seul le désir de compter un but m'habitait.

C'est ce que je m'efforçai de faire le plus souvent possible au cours de mon dernier hiver sur les patinoires extérieures de l'orphelinat.

Troisième période

À la fin de ma onzième année, je quittai à jamais l'orphelinat Saint-Arsène où j'avais élu domicile depuis près de cinq ans. J'avais le cœur déchiré à l'idée que je ne reverrais peut-être plus jamais Francesco ainsi que le bon frère Antonio, qui furent pour moi des compagnons indispensables. La rupture ne se fit pas sans larmes. Je partis le cœur brisé, une petite boîte bien ficelée sous mon bras au fond de laquelle gisaient les vestiges d'une sombre époque.

Les services sociaux réussirent à me trouver une niche chez le frère de mon père. Mon oncle Charles et ma tante Stella m'accueillirent à bras ouverts au sein de leur famille. Dès que j'eus pris racine parmi eux, je mis les voiles en direction de mon enfance perdue. Je me sentais fébrile comme un explorateur en route vers l'inconnu, mais aussi traumatisé que l'expatrié qui revient un jour sur sa terre natale.

J'abordai d'abord l'Hôpital général de la Miséricorde de Montréal, lieu de mon premier souffle, mon premier cri, mon premier pleur. Le bâtiment séculaire était situé au 1051, rue Saint-Hubert, au sud du boulevard Dorchester, non loin de la paroisse où j'avais vécu mon enfance. Érigé avec de grosses pierres grises, l'hôpital avait une allure austère, voire intimidante. Loin des regards indiscrets et des intrus, la crèche donnait à l'arrière de l'édifice sur la rue De La Gauchetière.

Je ne laissai pas la gêne m'envahir et je gravis les marches de l'escalier d'un pas gaillard. Je franchis ensuite l'énorme porte de chêne que surplombait le blason de la congrégation des Sœurs de la Miséricorde.

Je pénétrai dans le hall aux murs bardés de décorations religieuses. J'avais l'impression de pénétrer dans une petite chapelle. Sentiment renforcé par la rencontre de sœurs qui me plongèrent aussitôt dans mon passé. À ma gauche, il y avait une grande salle au fond de laquelle quelques religieuses tenaient dans leurs bras des nourrissons. Ces formes humaines moulées dans le mur renseignaient rapidement les visiteurs sur la mission première de l'hôpital.

Je suivis les conseils de tante Stella, qui avait visité les lieux à plusieurs occasions, et empruntai, à ma droite, l'escalier descendant directement aux portes des archives médicales.

Derrière la porte-guichet se tenait une vieille religieuse toute rabougrie aussi laide que les sept péchés capitaux. Sa cornette au cœur retourné me stupéfia. Son regard scrutateur ne fit rien pour me rassurer.

— Qu'est-ce que je peux faire pour toi, jeune homme? demanda la sœur en me regardant d'un air condescendant.

— Je cherche… ma… m… mère, répondis-je en balbutiant.

— Ce n'est pas ici que tu vas la trouver, me lança-t-elle en replaçant une mèche blanche sous sa cornette.

— Ça, je m'en doutais un peu! Non! Ce que je veux savoir, c'est son nom, affirmai-je en griffonnant avec mon index droit des lettres dans la paume de ma main gauche.

— Comment veux-tu que je le sache? rétorqua-t-elle les lèvres pincées.

— Écoutez! Ma mère a accouché dans cet hôpital en mars 1947! Je me suis dit qu'en fouillant dans mon dossier médical, je pourrais avoir son nom, fis-je en haussant un peu le ton.

— C'est impossible, jeune homme! Il n'existe pas de dossier médical au nom de…

— …Clément Belzile!

— C'est ça, Clément Belzile ! Il n'existe que le dossier de ta mère portant son nom de jeune fille ! Alors, tu vois bien que…

— C'est beau ! Je comprends ! Pas besoin de me faire un dessin ! Mais, il doit bien y avoir une autre façon de la retrouver, rétorquai-je impatient.

— Si ta mère était croyante et qu'elle avait peur que tu te retrouves dans les limbes, tu as sûrement été baptisé quelques jours après ta naissance. Il se peut alors que le certificat de naissance se trouve au presbytère de la paroisse Saint-Jacques, fit-elle en pointant un index déformé vers le clocher de l'église, le plus haut de la ville.

Je ne pris même pas le temps de la saluer, encore moins de la remercier. Je remontai l'escalier à vive allure et courus à l'extérieur. Haletant comme un chiot, j'y repris lentement mon souffle en essayant d'éviter les nombreuses fissures du trottoir qui me rappelaient les jeux de mon enfance.

Je me sentais quelque peu sonné, mais sans pour autant avoir visité le tapis. Je saisis la balle au bond et me dirigeai sans plus tarder au presbytère de la paroisse Saint-Jacques, situé au 331 de la rue Sainte-Catherine, de biais avec la chapelle Notre-Dame de Lourdes.

Le curé Auguste Campion m'accueillit avec un aimable sourire serti entre des joues grosses comme des fesses. Le mastodonte peina à s'extirper de sa chaise de bois qui le tenait prisonnier. Après quelques efforts, le pauvre homme y parvint toutefois. J'étouffai alors discrètement un rire moqueur dans ma main.

Pendant qu'il reprenait son souffle, je lui expliquai la raison de ma visite. Monsieur le curé se dirigea alors lentement vers le classeur au fond de la pièce. Il en ouvrit le tiroir si brusquement qu'il fit osciller le buste de la Vierge Marie.

— Tu m'as bien dit 1947 ? me demanda le curé en faisant courir ses doigts boudinés sur les chemises suspendues.

— C'est ça ! Mars quarante-sept ! dis-je en pianotant nerveusement sur le comptoir.

— Voilà ! Je l'ai ! Ça ne devrait pas être trop long à trouver, la chemise est pas mal mince, fit-il en la retirant du classeur.

Il s'écrasa lourdement sur sa chaise, qui émit alors des craquements inquiétants. Puis il ajusta ses lunettes sur son nez monumental et se mit résolument à la tâche.

— Je suis du vingt-sept ! lançai-je promptement.

— Ça y est ! Je le tiens ! déclara le curé aussi fier que s'il avait pêché un énorme poisson.

Le curé baissa les yeux, esquissa une moue de dépit et posa sa grosse main velue sur mon bras.

— Y a pas de nom ! affirma la grosse pomme noire.

— Comment ça, pas de nom ! hurlai-je en donnant un violent coup de pied sur le porte-parapluies.

— C'est pourtant écrit noir sur blanc : né de parents inconnus ! fit-il en pointant la ligne en question.

— C'est impossible ! Il y a sûrement une erreur ! J'ai quand même pas été conçu par le Saint-Esprit ! glapis-je en ramassant les parapluies du curé et du sacristain.

Me qualifiant de « saint Thomas », le curé déposa dédaigneusement le certificat sur son bureau.

EXTRAIT du registre des Baptêmes, Mariages et Sépultures de l'Hôpital général de la Miséricorde de Montréal, pour l'année mil neuf cent quarante-sept

Le vingt-neuf mars,

Nous, prêtre soussigné, avons baptisé Clément né à l'Hôpital de la Miséricorde de Montréal, ce jour du vingt-sept mars, fils de parents inconnus.

La marraine a été Gertrude Joubert qui a signé,
lecture faite.
Auguste Campion
o. m. i.
Officiant

— Minute, le jeune ! Calme-toi un peu ! Ta mère était absente lors de la déclaration de naissance et c'est ce qu'on écrivait quand cela arrivait, affirma le curé sur un ton impérieux.

— Qu'est-ce que je vais faire maintenant ? demandai-je, visiblement ébranlé.

Il ne me restait en effet que très peu d'espoir. Les noms de mes parents n'apparaissaient que dans mon dossier d'adoption gardé sous scellés dans une voûte à la Société d'adoption et de protection de l'enfance. Dans les années 1940, la loi québécoise en matière de confidentialité et du droit à la vie privée était très restrictive. Malheureusement, alors que je tentais de retracer ma mère, on perpétuait encore la culture du secret, même si elle datait d'une autre époque.

Époque sombre au cours de laquelle la mère subissait de fortes pressions sociales et religieuses pour qu'elle abandonne sa progéniture aux mains de purs étrangers parfois inaptes.

Les propos émis par le curé n'étaient pas de nature à me rapprocher de la bienveillante Église catholique.

Je pris toutefois bonne note du nom de la marraine avant que le curé ne récupère hâtivement le certificat. À cette époque, la direction de l'hôpital mandatait une employée laïque pour assister au baptême de l'enfant quand les parents ne se présentaient pas à la cérémonie religieuse. Le prénom de l'enfant était alors souvent choisi par la marraine, à moins que la mère en eût exprimé le souhait.

— Tu serais bien chanceux si tu y trouvais le nom de ton père. À cette époque, les hommes déclinaient souvent toute responsabilité et abandonnaient la jeune fille enceinte. Aussi bien chercher une aiguille dans une botte de foin, ajouta monsieur le curé pour m'encourager.

— Mon père s'appelle Gérard Belzile et le restera jusqu'à la fin de mes jours ! Non ! C'est ma mère que je veux retrouver, soupirai-je, décontenancé.

Le curé me reconduisit à la porte en posant une main réconfortante sur mon épaule.

— Mon fils, je te conseille d'aller faire brûler un lampion au sanctuaire Saint-Jude. Il fait souvent des miracles, suggéra-t-il en levant les yeux au ciel.

— Si ça ne vous dérange pas trop, Monsieur le curé, je vais m'en remettre plutôt à la Sainte Flanelle, rétorquai-je en laissant le pauvre curé complètement hébété sur le balcon.

De retour à la maison juste avant le souper, je fis part à ma tante de mes recherches stériles. Tout semblait indiquer que seul le destin pourrait nous réunir un jour. Jusqu'ici, il m'avait bien servi. Ma tante Stella m'encouragea à poursuivre mes recherches et me raconta qu'elle avait lu dernièrement dans le journal un entrefilet qui l'avait profondément touchée.

Une mère éplorée recherchait désespérément son fils qu'elle avait dû abandonner à cause de son jeune âge. Sa famille l'avait rejetée et elle n'avait eu d'autre alternative que de se tourner vers les hôpitaux publics. Tout juste avant de l'abandonner, elle avait insisté pour qu'on l'appelle Mathieu. Elle craignait sûrement qu'il se retrouve un jour dans les limbes s'il n'était pas baptisé.

« Les recherches ne se font donc pas à sens unique », me dis-je en songeant à mon ami d'enfance.

— Si ta mère a des remords, si elle tient vraiment à toi, dis-toi qu'elle va tout faire pour essayer de te retrouver. Il n'y a rien comme le cœur d'une mère pour ressentir les vibrations de son enfant et ce, peu importe où il se trouve, me confia ma tante en dénouant son tablier.

Ses propos me rassurèrent. Je gardais toujours espoir. Tout n'est jamais totalement perdu tant que le son de la sirène ne s'est pas fait entendre. La Sainte Flanelle me l'avait si souvent enseigné dans le passé par ses retours miraculeux que je m'accrochais toujours au plus infime espoir.

Or, je ne perdis pas de temps et je me retroussai rapidement les manches. Je partis à la recherche de madame Gertrude Joubert, le nom de la marraine figurant sur mon extrait de baptême. Cette femme avait occupé le poste d'infirmière au pavillon Jetté de l'Hôpital général de la Miséricorde de Montréal qui accueillait les filles-mères et les femmes célibataires.

Madame Joubert avait été, durant les premiers jours de mon existence, le pont entre ma mère et moi. Elle restait ma seule et dernière carte. Plus importante encore que toutes les cartes de hockey ramassées à ce jour.

Je retournai, armé de patience et d'ingéniosité, sur les lieux de ma naissance et j'obtins, après de nombreuses entourloupettes, des indices qui me permirent de localiser cette dame vénérable.

Elle était retraitée depuis quelques années et habitait seule une vieille maison de pierres dans le quartier paisible d'Ahuntsic où elle avait vu le jour soixante-dix ans auparavant.

Par un bel après-midi ensoleillé d'automne, je me pointai dans l'avenue Saint-Charles, au sud du boulevard Gouin, au fond de laquelle de jeunes garçons se livraient une chaude partie de hockey. Même si l'idole de tout un peuple avait pris sa retraite depuis quatre ans, quelques garçons arboraient encore le célèbre numéro neuf. Comme quoi l'aura de la Sainte Flanelle enveloppait toujours ce quartier.

Je les observais depuis le balcon de la dame. Rien n'avait réellement changé depuis dix ans. Le hockey insufflait toujours de la vitalité et de la joie de vivre dans les artères d'un quartier.

Soudain la porte s'entrebâilla lentement derrière mon dos. Une bonne bouille ravagée par les années apparut sous une chaîne de laiton. Cette dame n'était plus jeune.

— Je n'ai besoin de rien, jeune homme, bredouilla la dame d'une voix faiblarde.

— Mais, je ne suis pas vendeur, Madame ! Je m'appelle Clément Belzile et j'aimerais tout simplement parler à madame Gertrude Joubert, dis-je en m'avançant vers elle.

— Qu'est-ce que tu lui veux ? demanda-t-elle en reculant un peu.

— Je veux qu'elle me parle de ma mère, répondis-je avec un léger trémolo dans la voix.

Je lui racontai que cette femme m'avait porté dans ses bras voilà plus de dix-sept ans alors que je n'étais qu'un nouveau-né et qu'elle avait remplacé ma mère durant la cérémonie du baptême. J'insistai sur le fait qu'elle demeurait la seule personne au monde qui puisse me parler de cette mère inconnue que je souhaitais ardemment retrouver.

La porte se referma brusquement et la chaîne glissa d'un coup, libérant alors l'accès. J'avais frappé à la bonne porte et trouvé les bons mots pour l'émouvoir.

Gertrude Joubert me reçut cordialement dans son salon aux murs tapissés de vieilles photos de famille. Un vieux piano mécanique trônait fièrement dans la pièce. Dans un cadre accroché au-dessus, le regard pénétrant d'un homme populaire attira mon attention.

Je m'assis devant ce cadre, hypnotisé par son regard de feu, pendant que mon hôte s'activait, pressée de me servir une collation.

Malgré ses soixante-douze ans, la dame avait encore l'œil vigilant et le pas alerte. Quand elle revint de la cuisine, elle m'offrit un carré de sucre à la crème comme seules les grands-mères savent si bien le faire. Elle s'assit ensuite dans sa chaise berçante près de la fenêtre en flattant son gros chat de ses vieilles mains cordées de veines. Cassonade lui tenait compagnie depuis que son mari avait rendu son dernier soupir le printemps passé.

Elle prêta une oreille attentive à mon histoire, mais les cendres que j'essayais de remuer ne donnaient pas une grande chaleur. Elle avait tellement vu passer de jeunes filles dans l'« Aile du diable », comme on se plaisait à appeler le pavillon des filles-mères à cette époque, qu'il lui fut pénible de se souvenir de ma mère jusqu'au moment où j'évoquai la date du 27 mars 1947.

Il y eut tout à coup un long moment de silence, et des rides profondes creusèrent son front soucieux. Seul le ronronnement du chat était perceptible dans la pièce. Après quelques minutes passées dans l'au-delà, elle ouvrit lentement les yeux en se demandant ce que je faisais là.

— Oui, oui, ça me revient, dis-moi encore la date, insista Gertrude en décrochant le cadre au-dessus du piano.

Elle se rassit lentement et contempla longuement les deux hommes vêtus d'un long paletot noir et coiffés d'un élégant Borsalino. Les deux compagnons se donnaient chaleureusement la main en face de la vieille maison familiale. Une salutation amicale chapeautait la signature du Rocket sur la photographie en noir et blanc :

À mon cher ami et voisin Clément, fan # 1 du Canadien.

Des souvenirs émergèrent soudainement de la mémoire de Gertrude et lui injectèrent une énergie nouvelle :

— Mon père avait reçu de Maurice Richard deux billets de hockey pour assister à la deuxième partie de la demi-finale contre les Bruins de Boston le jeudi 27 mars 1947. Le célèbre hockeyeur résidait au 10 950 de l'avenue Péloquin à l'intersection de l'avenue Park Stanley, une rue à l'est de notre demeure familiale et il avait déposé, la veille, les précieux billets dans la boîte aux lettres.

« Les deux hommes s'étaient liés d'amitié au fil des années et se rencontraient fréquemment dans le parc Stanley, situé en bordure de la rivière des Prairies, pour causer de la pluie et du beau temps.

« Comme ma mère ne portait aucun intérêt au hockey, mon père se tourna alors vers moi. Le 27 mars 1947 restera toujours une journée gravée dans ma mémoire au cours de laquelle je passai par toute la gamme des émotions.

« Ce matin-là, j'empruntai le tramway pour me rendre au travail, la tête déjà au Forum. Tous les hommes avaient le nez plongé dans le journal du matin et tous avaient un mot à dire sur la rencontre du soir. Il était difficile d'éviter cette contagion matinale. Tout ce verbiage m'amusait et me faisait sourire. Il en était de même d'une publicité.

« *Quand l'énergie fait défaut*, clamait le slogan des pilules Moro sur les bannières publicitaires situées au-dessus des fenêtres. Mon père se moquait souvent de ces petites pilules miracles en affirmant plutôt qu'il n'existait rien au monde pour remonter le moral d'un homme qu'une victoire du Canadien de Montréal. Il avait sans doute raison.

« J'étais très excitée, car j'allais assister pour la première fois de ma vie à un match du Canadien de Montréal au Forum. Cette rencontre des séries éliminatoires suscitait beaucoup d'intérêt dans la métropole et le département de la maternité de l'hôpital n'échappait pas à cette fièvre printanière.

« Il était d'ailleurs très surprenant de voir tout l'engouement que manifestaient les religieuses pour le Bleu-Blanc-Rouge. Après la récitation du chapelet à la radio, elles se recueillaient avec une ferveur renouvelée pour écouter la retransmission de la rencontre du Canadien. On peut toujours se demander si leurs prières n'étaient pas adressées aux puissances divines afin de faire gagner la Sainte Flanelle… La passion du hockey était leur seul petit péché mignon. C'est du moins ce qu'elles prétendaient. »

— Et leur seul plaisir aussi, tentai-je de rajouter.

Madame Joubert avait été vaccinée avec une aiguille de gramophone, de sorte qu'il me fut impossible de glisser le moindre mot. Elle continua sans même reprendre son souffle :

— Un peu plus tard durant la matinée, une jeune fille de seize ans fut amenée rapidement vers la salle d'accouchement. Le travail de la parturiente avait commencé durant la nuit et l'apparition inattendue du cordon ombilical avant la descente du bébé laissait présager le pire des scénarios.

« On craignait alors que la tête du bébé comprime le cordon, diminuant ainsi l'apport sanguin vers l'enfant.

« Tout le personnel avait les nerfs à fleur de peau. Il fallait agir rapidement et l'obstétricien, le docteur Maxime Duhamel, après en avoir discuté avec la jeune fille, opta pour une césarienne. La jeune patiente assista aux préparatifs de l'opération et, tout juste avant que l'anesthésiste ne procède, sœur Marie-Diomède lui fourra sous le nez le formulaire de consentement à l'adoption. "Tiens, signe ici sur la ligne, c'est pour les frais de l'hôpital", ordonna la directrice en lui refilant un stylo.

« Complètement épuisée et à bout de souffle, la jeune fille n'y vit que du feu et apposa sa signature sans se rendre compte qu'elle venait de donner son enfant avant même qu'il voie le jour.

« L'opération se déroula normalement et un beau gros garçon de neuf livres surgit en poussant de hauts cris. La césarienne fut ce qu'il lui arriva de mieux, car les Sœurs de la Miséricorde refusaient de donner des antidouleurs aux filles-mères. Elles désiraient qu'elles souffrent par où elles avaient péché. Je prie encore aujourd'hui pour que ces sœurs brûlent en enfer.

« Au bout de deux heures, la jeune mère ouvrit l'œil dans la salle de réveil. Pendant que je prenais ses signes vitaux, elle réclamait à cor et à cri son rejeton, qu'on lui refusa en prétextant qu'elle avait déjà signé les papiers d'adoption. Ce qu'elle ignorait évidemment ! Elle ne vit jamais la chair de sa chair et ne sut jamais le sexe de son enfant. Gros bonnet, son père avait graissé la patte de la directrice de l'hôpital, lui intimant l'ordre que l'enfant soit immédiatement retiré des bras de la mère afin de ne pas créer d'attachement.

« Ses pleurs déchirants m'arrachèrent le cœur et je dus m'esquiver en douce pour essuyer quelques larmes.

« Cette magnifique blonde aux yeux bleus qui venait d'accoucher était… ta mère. »

— Quelle horreur ! Pauvre mère ! Toutes ces souffrances endurées pour moi ! affirmai-je complètement assommé.

Ce récit pathétique infligea à mon cœur une décharge électrique qui me glaça le sang des veines. Mon esprit demeura anesthésié durant de longues minutes tant et si bien que je fus incapable de bouger la moindre articulation.

— Quelle méchanceté envers une si jeune fille ! murmurai-je en essayant de retrouver mes esprits.

Cette brève interruption permit de nous désaltérer.

— Vous devez bien vous souvenir de son nom ? demandai-je en déposant mon verre de cola sur la desserte d'acajou.

Je piaffais d'impatience et je priais dans mon for intérieur pour que sa réponse m'ouvre enfin les portes qui depuis si longtemps m'étaient fermées. Mais madame Joubert détestait être bousculée et entendait bien profiter pleinement de ma présence.

Ses deux enfants résidaient à l'extérieur de la ville, de sorte qu'ils lui rendaient rarement visite. Elle passait donc ses longues journées à se bercer devant la fenêtre et à ruminer plus qu'à rêver.

Ma visite inopinée avait chassé l'ennui et ravivé des souvenirs qu'elle prenait un énorme plaisir à retrouver.

Gertrude se rassit lentement, replaça le petit papier mouchoir sous sa manche, se racla la gorge, toussota légèrement et retourna béate dans le passé :

— Elle s'appelait Annette. Mais elle aurait aussi bien pu s'appeler Angèle, Antoinette, Artémise, Annie, Angélina, Aurélie.

« Il était courant à cette époque de donner un pseudonyme aux filles enceintes afin de cacher leur vraie identité. Si le sens de l'accueil et du pardon sans jugement incarnait les valeurs de cette communauté religieuse, la discrétion n'en faisait pas moins partie.

« Cette semaine-là, tous les prénoms commencèrent par la lettre A.

« C'est moi qui accueillis ta mère à la réception. Une luxueuse limousine noire s'était immobilisée devant l'entrée de l'hôpital. Le chauffeur avait ouvert le coffre et en avait sorti une grosse valise brune. Il l'avait déposée sur le palier de l'entrée et était reparti sans même saluer ta mère.

« Un torrent de larmes ruissela le long de ses joues rondes et elle resta muette durant de longues minutes, figée comme les statues érigées dans le hall de l'hôpital. Elle faisait réellement pitié à voir. Je la pris par le bras et la reconduisis dans le vaste dortoir. Lorsqu'elle enleva son long manteau noir, la proéminence de son ventre m'indiqua clairement l'état de sa grossesse.

« Son père, un richissime financier, avait réussi à sauver les meubles. La bonne réputation dont il jouissait était maintenant sauvée. Il fit croire à ses proches qu'elle était partie à Sainte-Agathe-des-Monts dans un sanatorium pour soigner une tuberculose redoutable.

« Il paya aux religieuses une somme faramineuse pour que l'hôpital s'en occupe le plus longtemps possible. La pauvre jeune fille se sentit alors abandonnée et rejetée par sa famille, qu'elle ne revit pas durant les quatre derniers mois de sa grossesse.

« Un jour, elle se confia à moi. Était-ce parce que j'avais une fille de son âge et que ma propension à la comprendre était plus grande ? Je n'en savais trop rien.

« Or, au cours de l'hiver précédent, elle était tombée follement amoureuse du meilleur ami de son frère aîné. Elle se rendait souvent dans les parcs pour les voir jouer au hockey sur les patinoires du quartier. À cette époque, les autorités religieuses pestaient contre les patinoires des parcs où les gars et les filles pouvaient se fréquenter. Ta mère, au contraire, cultivait un intérêt insoupçonné pour le hockey.

« Au cours de l'été, l'ami en question l'invita à une fête bien arrosée au cours de laquelle elle succomba aux plaisirs concupiscents de l'amour.

« Le type nia avec véhémence la paternité et insista pour qu'elle ne l'importune plus jamais. C'est là que prit fin l'idylle amoureuse de ta mère. Elle se retrouva alors complètement seule pour vivre le pire malheur pour une jeune fille de bonne famille.

« Son intérêt pour le hockey diminua drôlement et elle en développa même une profonde aversion.

« C'est la raison pour laquelle ta mère démontra l'indifférence la plus totale lorsque j'appris à toutes dans la salle communautaire, la veille de son accouchement, que j'allais assister à la deuxième partie des séries au Forum de Montréal.

« Si je me rappelle très bien les détails de la journée du 27 mars 1947, c'est surtout parce qu'elle s'est très mal terminée. Il y a des dates indélébiles dans notre vie et le jour de ta naissance en fait partie. »

— Et... la partie ? Ce fut comment ? questionnai-je vivement en regardant les deux hommes sur le cadre.

— Magique ! Euphorique ! Dramatique ! répondit Gertrude en arrêtant brusquement de se bercer.

— Dramatique ? Ça signifie que le Canadien a perdu la partie ? demandai-je entre deux gorgées de cola.

— Non, mais moi, j'ai failli perdre mon père ce soir-là, m'avoua-t-elle émue. Je déambulais fièrement à côté de mon père élégamment coiffé d'un Biltmore, le roi des chapeaux à cette époque. Les places des billets que nous avait donnés Maurice Richard étaient situées derrière le banc du Canadien. La foule, composée en grande partie d'hommes, était survoltée quand le Rocket touchait la rondelle. Mon père, taciturne de nature, m'adressa très peu la parole. Il suivait la partie avec une passion féroce et réagissait bruyamment toutes les fois que le Canadien menaçait la forteresse ennemie.

« Après deux périodes endiablées, le Canadien tirait de l'arrière un à zéro et la foule semblait résignée au sort défavorable. L'adversaire jouait beaucoup mieux et la défaite paraissait imminente.

« Pour chasser un peu de cette nervosité qui le gagnait de plus en plus, mon père se retira sous les gradins et alla griller deux cigarettes durant l'entracte. Au retour, je le trouvai très pâle. "Je ne sais pas ce que j'ai, mais on dirait que le souper ne passe pas !" s'exclama mon père en s'épongeant le front. "Vous prenez ça trop à cœur, le père", lui murmurai-je pour le calmer un peu. "J'ai parfois l'impression que le cœur va me sortir de la poitrine", avoua-t-il en se frottant le bras gauche. "Voulez-vous qu'on parte tout de suite ?" lui demandai-je pour me rassurer.

« Il ne me répondit même pas, trop préoccupé par le déroulement de la troisième période à la fin de laquelle le Canadien n'avait toujours pas marqué. La dernière minute de jeu donna un regain de vie aux joueurs, comme stimulés par un violent coup de fouet, en attendant l'annonceur informer le public qu'il ne restait qu'une seule minute.

« Plusieurs spectateurs incrédules avaient déjà quitté leur siège et franchi les portes de la sortie. Comme ils durent s'en mordre les pouces le lendemain…

« Tout à coup Maurice Richard profita d'une échappée. Au lieu de lancer, comme c'était souvent son habitude, il refila la rondelle à un coéquipier qui tira dans un filet désert. Une scène de joie indescriptible éclata alors dans l'amphithéâtre. Le toit du Forum faillit sauter et sauta aussi mon père dans les bras de tout un chacun. Fou de joie, il jeta ses caoutchoucs et son journal sur la patinoire qui y rejoignirent des centaines d'autres objets. Je dus même restreindre ses ardeurs pour ne pas qu'il lance son chapeau.

« Stoïque, il demeura bien assis durant tout l'entracte.

« À présent, le temps n'existait plus. Tout n'était plus qu'une question de pouces : une rondelle sur le poteau ou à la ligne rouge nous paralysait instantanément.

« Après seulement un peu plus de cinq minutes de prolongation, la lumière rouge derrière le gardien de but bostonnais s'alluma et mon père bondit d'un coup comme s'il avait été éjecté par un ressort. Il porta aussitôt sa main à la poitrine et s'écroula lourdement sur son siège.

« L'euphorie n'avait été que de courte durée dans son cas.

« Le médecin du Canadien accourut immédiatement vers lui et on le transporta d'urgence à l'Hôpital général juif de Montréal. Victime d'un infarctus, mon père succomba quelques jours après des suites de son attaque.

« À la suite de cette fatidique rencontre, j'ai souvent prié pour que la Sainte Flanelle épargne mes deux fils de cette fièvre parfois mortelle.

« Tu vois, Clément, le 27 mars est une journée qui m'a profondément marquée. Pas un enfant ne peut effacer de sa mémoire le jour où son père part pour l'hôpital et n'en revient plus. »

— Mais pourquoi m'avoir donné son prénom ? demandai-je en fronçant les sourcils.

— Deux jours après ta naissance, je fus désignée pour te servir de marraine à ton baptême. Tout juste avant d'accoucher, ta mère avait insisté pour que tu sois baptisé immédiatement, craignant que tu te retrouves dans les limbes s'il t'arrivait malheur.

— Ce n'est pas la première fois que j'entends parler de cet endroit, dis-je en me grattant la tête.

— Tu ne te rappelles plus de ton petit catéchisme ? C'est le lieu où vont les âmes des enfants morts sans avoir reçu le baptême, récita la vieille dame en se joignant les mains.

— Quand le prêtre me demanda de te donner un prénom, j'optai pour Clément. Je ne me souviens plus très bien de ce qui dicta mon choix à cet instant. Ton prénom était sorti de ma bouche aussi vite que l'oiseau du coucou qui avance pour donner l'heure.

— Qu'est-il arrivé à ma mère après mon baptême? demandai-je en accueillant Cassonade sur mes genoux.

— Ta mère demeura quelques semaines à l'hôpital le temps de reprendre ses forces et de retrouver ses esprits. À la fin du mois d'avril, la même limousine noire vint la cueillir à la sortie de l'hôpital. Tout juste avant de monter à bord, elle me salua gentiment, et la directrice qui se trouvait à mes côtés lui lança farouchement: "Prends l'habit! Sinon, un jour, ton âme deviendra noire comme Satan."

« Le chauffeur la déposa un coin de rue plus loin au pas de la porte du couvent des Sœurs de la Providence, situé en face du magasin de musique Archambault.

« Son père avait réussi à convaincre le curé de sa paroisse, encore avec des arguments pécuniaires, pour qu'il rédige une lettre de recommandation dans laquelle sa fille avait les vertus requises pour demeurer pensionnaire au couvent.

« Son père souhaitait que sa fille expie le péché qu'elle avait commis. Le péché le plus honni. Il désirait qu'elle paie de sa vie toute la peine qu'elle avait causée à sa famille. Ainsi en avait décidé le tribunal familial. Pour moi, tu étais un enfant de l'amour, et je ne comprenais pas toute cette haine ardente soulevée par ses proches au nom de la morale chrétienne.

«Je ne connais pas la suite de son histoire. Je n'ai plus jamais entendu parler d'elle après.»

Madame Gertrude Joubert enleva ses fines lunettes et s'épongea les yeux avec son mouchoir qu'elle tassa ensuite sous la manche de sa veste de laine. Elle souleva le cadre qu'elle avait déposé près de sa chaise berçante. Elle le retourna à l'envers sur ses genoux, déchira le papier brun et extirpa le billet de hockey du 27 mars qu'elle avait camouflé sous la photographie sépia.

Elle me l'offrit afin que je garde un souvenir impérissable de notre rencontre.

Je la serrai très fort contre moi avant de lui dire adieu, et j'eus l'impression un court instant d'entendre battre le cœur de ma mère.

À l'heure dite entre chien et loup, les jeunes hockeyeurs avaient déserté la rue. On aurait dit que le quartier avait vieilli de dix ans en l'espace de deux heures.

Cette rencontre cordiale avec Gertrude exacerba davantage mon désir de retrouver ma mère, qui occupait désormais une place encore plus grande dans mon cœur.

Comme la rondelle semblait rouler à mon avantage, il fallait exploiter la situation sans attendre. Je retournai donc le lendemain sur les lieux où ma mère avait passé quelques années comme pensionnaire.

À ma grande stupéfaction, l'endroit était complètement désert. Tout avait été rasé comme une barbe fraîchement coupée. Le couvent des Sœurs de la Providence avait été démoli et son terrain vendu à la Ville de Montréal pour accueillir dans ses entrailles une station de métro.

Bien que cette déception m'arrachât quelques larmes, je gardai toujours espoir en me rappelant que seules les montagnes ne se rencontrent pas.

Quelques semaines plus tard, mon oncle Charles profita de l'entracte entre la deuxième et la troisième période de *La soirée du hockey* pour me livrer enfin les circonstances entourant mon adoption. Fin comme l'ambre, mon oncle choisit ce moment en sachant fort bien que j'avais toujours le cœur joyeux lorsque le Canadien gagnait.

— Tu sais, Clément, mon frère avait toujours rêvé d'avoir un gars. Puis il était très fier d'en avoir un comme toi, avoua mon oncle en baissant le volume du téléviseur.

— Même si j'étais un bâtard? Même si les garçons n'étaient pas toujours les premiers choix des parents? répliquai-je en fixant intensément l'écran.

— Ah! Ne dis pas ça! Il te considérait comme son propre enfant! Tu sais, c'est pas parce qu'il n'a pas essayé d'en avoir, dit-il en sifflant son troisième verre de bière.

— Ça veut dire quoi ? m'enquis-je en fronçant les sourcils.

— Cécile n'est jamais tombée enceinte, confessa le petit homme, la bouche un peu ramollie.

— Comment ça ?

— Elle ne pouvait pas avoir d'enfant ! À vingt ans, elle a subi la grande opération, bafouilla mon oncle.

— Hein ! C'est quoi ça ? demandai-je sèchement.

— On a dû lui enlever l'utérus, qui était mal en point, avoua-t-il, compatissant.

— Est-ce que mon père était au courant ? lançai-je, courroucé.

— Sûrement pas ! Il ne l'a jamais su avant de se marier, Cécile lui faisant toujours accroire qu'elle voulait une grosse famille, confia-t-il en décapsulant une autre Molson.

Dès que mon père se rendit compte de la supercherie dont il était l'objet, il déposa une demande d'adoption en insistant pour que ce soit un garçon, ce garçon dont il avait toujours rêvé. Comme il était un honnête travailleur, le curé écrivit une lettre de recommandation attestant sa compétence à subvenir à mes besoins essentiels.

Pour calmer le jeu et se faire pardonner une conduite indigne d'une bonne chrétienne, sa femme accepta de mauvaise foi ce marché, craignant que leur mariage ne batte que d'une aile. J'apparus alors dans le décor comme un antidote à leur existence empoisonnée.

L'effet ne fut que temporaire. Ma venue ne réussit pas à guérir leur manque d'amour l'un pour l'autre. Le laissé-pour-compte que je fus s'avéra, en fin de compte, une panacée totalement inefficace.

— Cette femme a beau se confesser et communier tous les dimanches, rien n'y changera. Elle sera toujours rongée par le mensonge et l'hypocrisie. Ma belle-sœur priait pour que tu n'apprennes jamais la vérité, mais c'était bien mal connaître la détermination de ma sœur Thérèse, souligna mon oncle en louvoyant légèrement vers le téléviseur.

Quand l'arbitre laissa tomber la rondelle au centre de la patinoire, je laissai tomber toute la rancœur que j'éprouvais pour cette femme. Sa punition pour mauvaise conduite était désormais expirée.

La pitié prit dès lors la relève du mépris.

Mon oncle, professeur de français à l'École supérieure du Plateau, ne rata pas une occasion au cours de la troisième période de louanger la qualité de la langue du vénérable commentateur. Il admirait, tout comme moi, la pondération dont ce dernier faisait preuve lorsque la partie prenait une tournure inhabituelle. Quand une violente échauffourée éclata à la fin de la partie, monsieur Lecavalier garda son calme, comme allergique à toutes ces manifestations belliqueuses. Peut-être que ses reportages en Algérie lui avaient laissé un goût amer…

Mon oncle m'apprit que, durant sa jeunesse, René Lecavalier avait rêvé de porter les couleurs du Tricolore, mais que sa petite taille l'avait empêché de réaliser cette ambition, que la plupart des hommes partageaient à cette époque.

Je me réjouis que cet homme n'ait pas eu la taille requise, sinon je n'aurais peut-être pas poursuivi des études à l'École normale Jacques-Cartier en vue d'enseigner un jour le français. Mes héros d'hiver n'avaient pas été mes seuls modèles. Ce gentilhomme de *La soirée du hockey* eut plus d'emprise sur le choix de ma carrière que n'importe qui.

Tout juste avant d'éteindre le téléviseur, mon oncle, légèrement ivre, me radota cet adage qui le grandissait virtuellement :

— N'oublie jamais, Clément, que l'on mesure la grandeur d'un homme à partir des épaules !

Au printemps 1966, la Sainte Flanelle croisa le fer avec les Red Wings de Détroit. À la surprise générale, l'ennemi juré remporta les deux premières rencontres de la finale sur la glace du Forum. Tous avaient lancé la serviette sauf les irréductibles croyants.

La Sainte Flanelle remporta les quatre parties suivantes. À vingt-deux heures, un volcan se réveilla au Québec. Le Canadien de Montréal venait de remporter la quatorzième Coupe Stanley de son histoire.

Tout n'était donc jamais totalement perdu ! Je gardais espoir de retrouver ma mère.

Le destin me guiderait un jour vers elle. J'en étais convaincu plus que jamais.

Sainte Flanelle, jouez pour nous !

Sainte Flanelle, gagnez pour nous !

Sainte Flanelle, exaucez-nous !

TROISIÈME PARTIE

Le rouge du cœur

J'étais dans un véhicule blindé, c'était la guerre autour de moi, et la seule chose à laquelle je pensais, c'était [...] comment le Canadien pouvait déjà être sorti des séries.

Alexandre Poirier,
caporal-chef

Début de la première période

Tous les printemps, la radio diffusait des airs évoquant enfin le retour du beau temps. Le moment était alors venu de rompre l'encabanement hivernal pour partager une joie commune. Je ne pouvais faire autrement que penser au jour où le frère Antonio écrivit au tableau cet extrait:

Pareil renouveau dans la glorieuse saison, par l'ordre du printemps, nous commande la joie.

La fièvre des séries éliminatoires nous apportait cette joie et embrasait tout le Québec depuis le début du siècle. Bien peu de personnes déclinaient l'invitation du Canadien de Montréal de participer à cette grande fête collective qui atteignait souvent son point culminant lorsque des milliers de partisans se donnaient rendez-vous dans la rue Sainte-Catherine.

Les héros y déambulaient alors avec des fiertés d'hippocampe sous une pluie de confettis multicolores. Les yeux presque sortis de leurs orbites, les jeunes enfants saluaient timidement leurs héros comme s'ils ne pouvaient croire qu'ils soient de chair et d'os. Le printemps exigeait que nous nous réjouissions et c'est grâce à la conquête de la Coupe Stanley par la Sainte Flanelle que nous y parvenions. Le sang qui coulait dans l'artère la plus animée de la métropole était, durant une journée, bleu-blanc-rouge.

Mais, le printemps de l'Exposition internationale de 1967 fit exception à la règle, car l'exécrable feuille d'érable avait décidé de jouer les trouble-fête, privant ainsi la population montréalaise de fraterniser et partager le même bonheur. À défaut d'assister à la traditionnelle parade de la rue Sainte-Catherine ce printemps-là, les Montréalais durent se contenter de suivre la procession de la Fête-Dieu derrière l'ostensoir brandi par le curé de la paroisse.

Or, j'avais encore le cœur chamboulé par la défaite cruelle du Canadien lors de la finale de la Coupe Stanley contre nos éternels ennemis et j'étais loin de me douter que le rassemblement auquel j'étais convié m'apporterait une consolation immédiate et bienfaisante.

J'étais passé la veille du 24 juillet à l'école de boxe de Réginald Chartrand pour m'entraîner lorsque le valeureux Chevalier de l'Indépendance me remit une pancarte en sortant.

— Brandis-la fièrement, Clément ! Il faut annoncer nos couleurs au monde, me lança le boxeur au nez largement épaté.

J'avais accepté sans trop savoir pourquoi. Peut-être parce que les couleurs bleu-blanc-rouge qui figuraient sur le carton me rappelaient de beaux souvenirs ou était-ce plutôt ce besoin fondamental de me retrouver au cœur d'une fête à saveur française ?

Le lendemain soir, je me retrouvai avec des centaines de manifestants dans la cour du château Ramezay, serrés comme des harengs, à écouter le général de Gaulle crier du balcon de l'hôtel de ville de Montréal son très célèbre « Vive le Québec libre ! »

Une immense clameur monta alors de la foule survoltée parmi laquelle un regard flamboyant et un sourire enjôleur m'appâtèrent aussitôt, à moins que ce ne fût le chandail tricolore de la France qui donnait à cette jolie noire une allure divine !

Je m'approchai d'elle tout naturellement comme si j'avais été attiré par un champ magnétique. Mon bras effleura sa peau douce et je sentis mes poils se hérisser comme les piquants d'un porc-épic. D'un coup d'œil furtif, j'admirai sa longue chevelure de jais tomber sur ses épaules rougies par le soleil. Je me risquai, le temps d'un battement de paupières, à jeter un œil sur le coq juché sur le tertre de son chandail tricolore. Mal m'en prit, car ses deux jolis seins m'émoustillèrent au point qu'un grand chauve au col roulé s'immisça quelques secondes entre nous.

Les belles grandes mains ornées de bagues précieuses de la demoiselle tenaient une pancarte sur laquelle on pouvait lire des slogans séparatistes. La pancarte que je serrais fermement servit plus à chasser les guêpes qui tournoyaient au-dessus de sa tête échevelée qu'à afficher mes couleurs.

— Fais attention ! Ça pique en maudit ces petites bestioles-là ! me prévint la belle grande noire.

— Je le sais ! Mais, il n'y a pas seulement les guêpes qui piquent, avouai-je en plongeant mon regard dans ses yeux océan.

Son regard avait dardé mon cœur et allumé un feu qui crépitait partout dans mon corps. Je n'avais jamais senti de toute ma vie une chaleur aussi vivifiante. La Sainte Flanelle pouvait aller se rhabiller.

Geneviève Denoncourt était montée à bord d'un autobus nolisé par une faction séparatiste dont elle ignorait le nom. L'autobus avait quitté la colline parlementaire tôt le matin et avait suivi le cortège présidentiel tout le long de l'historique chemin du Roy jalonné de partisans sympathiques à la cause de l'indépendance.

Elle n'était pas plus vouée que cela à la cause indépendantiste, mais l'idée d'aller saluer le président de la République lui plut aussitôt. Elle trouva aussi là l'occasion en or de faire rager son père, fédéraliste convaincu, avec qui elle n'entretenait pas des liens très cordiaux.

Ironie du sort, son père lui avait offert le maillot tricolore de l'équipe française de foot lors d'un récent voyage en famille à Paris. Ce périple en France avait alors renforcé son rêve de travailler un jour dans un musée.

La famille Denoncourt habitait une somptueuse demeure ancestrale dans le quartier huppé de Sillery, près du parc Bois-de-Coulonge. Son père, Léopold, enseignait l'histoire contemporaine à l'Université Laval et sa mère Élisabeth occupait un poste de haut fonctionnaire au ministère de l'Éducation. Ses frères Jérôme et Maxime étudiaient respectivement le droit et la sociologie à l'université où œuvrait le paternel. Quant à Geneviève, elle terminait son cours sur l'histoire de l'art à travers les âges.

Je me montrai plus avare sur mes origines familiales, affirmant que j'avais perdu mes deux parents dans un grave accident de la route et que j'avais été adopté par le frère de mon père à l'âge de deux ans. Cet aveu, révélé sur un banc en face de la Biosphère, la toucha profondément. La vérité pouvait attendre encore un peu.

Nous passâmes les premiers jours de nos fréquentations à voyager sur les îles artificielles de l'Expo 67. Les soirs, complètement fourbus, nous assiégions, comme des centaines de jeunes, l'agora du pavillon de la Jeunesse situé à la Ronde. Avachis sur la pelouse, nous écoutions attentivement les paroles des chansons *All you need is love* et *Light my fire* amplifiées par de gigantesques haut-parleurs. Il nous arrivait quelquefois de fumer quelques herbes illicites rendant alors nos baisers plus voluptueux et nos mains plus fouineuses.

Mais, tout juste avant l'automne, je reçus une douche froide.

C'est en visitant le pavillon de l'Ontario par un bel après-midi de septembre que j'appris toute l'aversion qu'éprouvait Geneviève pour le hockey. Le seul fait d'entendre le thème musical de *La soirée du hockey* l'horripilait au point de se boucher les oreilles et de déserter le salon monopolisé par ses deux frères pendant tous les samedis soirs de son enfance.

Pour comble d'insulte, les Maple Leafs de Toronto avaient expédié le trophée sur notre territoire. La coupe Stanley trônait en effet dans le hall du pavillon où l'envie de la subtiliser aux yeux du gardien de sécurité m'effleura l'esprit un court instant. J'eus tout à coup une pensée pour l'hurluberlu qui avait volé la coupe au Stadium de Chicago quelques années auparavant. Je comprenais d'emblée son geste. Cette coupe demeurait la propriété exclusive du Tricolore !

Geneviève trouva bizarre que je m'attarde aussi longuement devant l'immense saladier d'argent. En quelques secondes, je me retrouvai à l'orphelinat Saint-Arsène où j'avais vécu le plus beau jour de mon enfance. Je demeurai avare de commentaires. De toute façon, Geneviève n'aurait rien compris.

— Dis-moi pas que tu suis le hockey toi aussi ? me demanda Geneviève en me sortant brusquement de ma rêverie.

— Ça m'arrive à l'occasion ! répondis-je en mentant comme un arracheur de dents.

Je réprimai l'envie soudaine de lui avouer ma passion pour le Canadien de crainte de perdre son amour.

Mes visites répétées au pavillon du Téléphone éveillèrent cependant de plus grands soupçons.

— Sept fois au pavillon du Téléphone ! Ma parole, dis-moi donc ce qui t'attire là ? me lança Geneviève en recomptant les estampes à l'intérieur de mon passeport. Aurais-tu le béguin pour celle qui estampille ton passeport ?

— Serais-tu un peu jalouse par hasard ? rétorquai-je, heureux de constater qu'une femme tenait enfin à moi.

Le gigantesque écran circulaire du pavillon du Téléphone projetait des images d'un réalisme à couper le souffle. Les paysages spectaculaires du territoire canadien me subjuguaient au point que dès que je mettais les pieds sur l'île Sainte-Hélène, je montais à bord du minirail et je me dirigeais sans plus tarder vers le cinéma 360.

C'est du moins ce que je m'efforçai de faire croire à Geneviève, mais, hélas ! sans trop de succès, à voir le doute poindre dans son regard.

En effet, Geneviève avait déjà vu le film auparavant et se rappelait fort bien de quelques scènes culturelles, dont celle qui se déroulait sur la patinoire du Forum où le spectateur ressentait l'ambiance magique d'un match de hockey…

Je ne me lassais jamais d'y retourner, même si la scène sportive ne durait que quelques secondes et même si je faisais le pied de grue à l'extérieur durant de longues minutes avant de pénétrer dans le vaste amphithéâtre.

Je ressentais encore le besoin de vivre intensément une émotion dont on m'avait injustement privé durant mon enfance.

Je crus longtemps que le monde artificiel du sport était le meilleur, mais c'était parce que je n'avais pas encore visité celui que m'offrit Geneviève un samedi soir de novembre.

Nous étions rentrés à la hâte dès la fin du dernier Leone et entendions bien profiter de l'absence de ses parents pour vérifier le confort des ressorts du canapé du salon. Ne faisant ni une ni deux, Geneviève posa ses lèvres enceintes de désirs sur les miennes et me gratifia du plus tendre baiser. Pendant que ses yeux papillotaient, j'en profitai pour jeter un œil furtif vers le téléviseur, que j'avais discrètement allumé pour donner au salon une ambiance plus feutrée.

Il me fit drôle de regarder le hockey sans la voix familière du commentateur. C'était comme écouter la musique de Verdi sans les voix éclatantes des chœurs.

À la vue du résultat de la partie, j'esquissai un sourire triomphant qui me trahit lamentablement. Cette bévue provoqua une réaction fougueuse de la part de Geneviève qui m'agrippa solidement par les cheveux et me tira vers le bas. Je me retrouvai soudainement à la position horizontale et succombai facilement au canapé douillet.

Les rondeurs provocantes de sa poitrine et les fines courbures de ses hanches dressèrent sans coup férir mon chapiteau qui excita davantage Geneviève. Mes doigts nerveux s'insinuèrent sous son chandail et, après d'interminables secondes, parvinrent enfin à dégrafer son soutien-gorge. Puis mes grandes mains palpèrent gloutonnement ses jolis petits seins.

Je n'avais jamais visité un tel monde auparavant et j'essayai d'y demeurer le plus longtemps possible. Je m'introduisis à l'intérieur de ses cuisses duvetées et me jetai à couilles rabattues sur son corps fiévreux. Mon corps s'agita tout d'un coup d'une violente secousse orgasmique, mais non sans que j'aie remarqué préalablement ses doigts de pieds en forme d'éventail.

Après avoir sombré dans un sommeil profond, je ramassai mes vêtements éparpillés à la grandeur du salon. Je retrouvai mes chaussettes sur le guéridon en acajou et mon caleçon zébré dans les bras d'un dieffenbachia assoiffé. Il me fallut aussi retirer du bout des doigts le soutien-gorge qui baignait dans l'eau glauque de l'aquarium.

J'embrassai tendrement Geneviève sur la joue et la couvris de mon long imper, elle qui dormait à poings fermés. J'éteignis le téléviseur et fis disparaître sur-le-champ la tête de l'Indien, témoin privilégié de nos ébats amoureux. Puis je rentrai à Montréal au petit matin.

Cette nuit-là, je donnai congé à mes héros d'hiver… et durant plusieurs nuits encore.

Mais, comme le temps et l'usure finissent toujours par éloigner les amants de leurs premiers jeux amoureux, je laissai tomber facilement mon masque au printemps suivant. Car, malgré tout l'amour que je vouais à Geneviève, je ne pouvais renier aussi longtemps les héros de mon enfance.

Héros qui avaient égayé mes longues soirées d'hiver. Héros qui m'avaient distrait d'une existence recluse. Héros qui m'avaient mis au monde. Héros qui furent mes modèles. Mes chevaliers du Saint-Graal. Mes tuteurs, ni plus ni moins.

Si la femme était, selon le poète Aragon, l'avenir de l'homme, les héros étaient, selon moi, l'avenir de l'enfant.

C'est ce même enfant, endormi depuis quelque temps, qui réapparut spontanément durant les séries éliminatoires et, notamment, durant la grève des techniciens de Radio-Canada. Il me fut alors impossible de cacher indéfiniment à ma tendre moitié mon amour du Canadien.

Cette grève souleva la colère de la population, qui se voyait injustement privée de sa ration de bonheur après une dure journée de labeur. Devant le tollé et la rage des partisans du Canadien, les techniciens eurent facilement gain de cause. On le comprendrait à moins.

— Tu me fais penser à un petit enfant à qui on enlèverait son jouet préféré, me dit Geneviève en se moquant de moi.

Geneviève était bien consciente qu'elle épouserait bientôt un homme au fond duquel sommeillait parfois un petit enfant toujours en quête d'émerveillement et de magie.

Mon jardin n'avait plus de secret, si bien que je donnai libre cours à ma passion printanière sans aucune retenue. Ce qui allait s'avérer, tout bien considéré, une excellente idée puisque Geneviève allait enfin apprendre qui j'étais réellement.

Ainsi, au printemps, je fus invité à partager le souper dominical en présence de sa famille. La décoration somptueuse de la salle à manger m'intimidait drôlement. Une nappe de fine dentelle recouvrait la table rectangulaire au bout de laquelle trônaient de magnifiques candélabres élancés comme les clochers de Chartres. Le service de couverts, récemment astiqué par la femme de ménage, était disposé sur la table selon les règles de l'art. La riche porcelaine importée d'Angleterre avait déserté le buffet et la dorure qui ornait la vaisselle brillait comme des soleils. Un air solennel planait au-dessus de la salle à manger, dictant aux commensaux la retenue et le décorum.

Chaque fois que je posais les pieds dans cette pièce, j'avais l'impression d'avoir été parachuté en zone étrangère. Ce qui n'avait rien d'exceptionnel pour quelqu'un qui n'avait jamais eu d'attaches familiales. Étrange partout, enraciné nulle part.

Mais lorsque le bon vin chassait ma torpeur, je m'exprimais le plus librement du monde. Geneviève me le signalait rudement en me meurtrissant les tibias de ses souliers pointus chaque fois que le ton montait démesurément et que les discussions s'envenimaient dangereusement.

Le souper auquel je fus convié ce soir-là ne fit pas exception.

J'avais passé une bonne partie de l'après-midi au salon en présence de Maxime et Jérôme à discuter de la deuxième partie de la série demi-finale contre les Bruins de Boston. Geneviève avait un examen à préparer sur les surréalistes et s'était retirée quelque temps dans sa chambre pour étudier. J'acceptai sa courte retraite avec le plus grand détachement.

J'adorais palabrer et jouer les gérants d'estrade avant un match important. L'équipe américaine avait donné la frousse au Canadien jeudi soir dernier et nul ne pouvait prédire l'issue de la rencontre de ce soir étant donné que les Bruins comptaient dans leurs rangs peut-être le meilleur joueur de hockey à avoir chaussé les patins en la personne de Bobby Orr. On ne se gênait pas pour dire qu'il était le « bon Dieu en patins ». Que pouvait-on ajouter de plus ? Ne l'avait-on pas vu planer au-dessus de la patinoire comme l'Oiseau de feu de Chagall en marquant un des buts les plus spectaculaires de l'histoire en période de prolongation ?

Les effluves odoriférants d'un succulent rôti du roi guidèrent mes pas vers la salle à manger où la discussion reprit de plus belle jusqu'au moment où le beau-père fit son apparition.

— Dites-moi pas que vous parlez encore de hockey ! Vous ne trouvez pas, les gars, qu'il y a des sujets plus importants dans la vie que de se demander en combien de parties le Canadien va gagner la série. Je vous croyais beaucoup plus sérieux que ça ! J'espère, Geneviève, que tu en es bien consciente, claironna son père en retirant délicatement le bouchon d'un saint-émilion de grand cru.

Monsieur Léopold Denoncourt avait le verbe haut et adorait tenir le crachoir durant l'heure des repas, ne se gênant pas pour rabrouer celui qui osait lui tenir tête. Le ton hautain qu'il adoptait m'intimidait et refroidissait toujours mes ardeurs. Mais, ce soir-là, la fièvre des séries éliminatoires brûlait en moi et me gagna à un point tel que je répliquai sans tenir compte des coups assénés par Geneviève sous la table.

— Si le hockey est si peu important comme vous le prétendez, alors dites-moi donc pourquoi un premier ministre du Québec a déjà ajourné les travaux parlementaires et interrompu les débats de l'Assemblée nationale quand le Canadien de Montréal a remporté la Coupe Stanley, rétorquai-je en déroulant lentement ma serviette de table sur mes genoux, évitant ainsi le regard dominateur du père de Geneviève.

— Qu'est-ce que tu me chantes là, le jeune ? hurla le beau-père en s'envoyant une bonne rasade dans le gosier. Je n'ai jamais entendu parler de ça. Veux-tu bien me dire qui t'a raconté de telles balivernes ?

J'avais osé le défier et jouer dans ses plates-bandes. Je l'avais piqué et je ne parle pas seulement de sa curiosité. J'avais marqué un point important et, surtout, j'avais suscité l'admiration de Geneviève.

C'est ce qui m'importait le plus.

— C'est du moins ce que rapportait *La Presse* le surlendemain de la conquête de la Coupe Stanley au printemps 1924, répondis-je en jetant un coup d'œil sous la robe de... mon verre.

— Étais-tu déjà abonné à *La Presse* ? ricana-t-il pour feindre son ignorance.

— J'ai parcouru il y a deux ans des microfilms de *La Presse* à la Bibliothèque municipale de Montréal pour un travail de recherche et je suis tombé par hasard sur cet entrefilet, répondis-je le plus sérieusement du monde.

— Mais pourquoi le premier ministre a-t-il mis fin aux débats ? s'enquit Geneviève, intéressée par le sujet.

— Parce que ce n'était plus des adultes, mais une bande d'enfants excités qui n'avaient plus la tête à prendre des décisions, mais plus le goût de fêter, comme le reste de la population d'ailleurs. On rapporte que Louis-Alexandre Taschereau avait lui-même annoncé la victoire du Canadien aux députés. À cette nouvelle, ils avaient lancé dans les airs tout ce qui se trouvait à leur portée et ils avaient même entonné le traditionnel chant de la victoire : « Halte là ! Halte là ! Halte là ! Les Canadiens sont là ! » Vous voyez qu'il n'y a pas d'âge ni de condition pour retrouver son cœur d'enfant, affirmai-je en m'adressant directement au professeur.

Il régna durant quelques instants un silence mortuaire, que s'empressa de briser la mère de Geneviève.

— J'espère qu'il n'est pas trop cuit, lança la belle-mère en zyeutant dans nos assiettes.

— Mais pourquoi le premier ministre a-t-il attendu ce moment pour annoncer cette nouvelle ? s'enquit le professeur d'histoire, plus intéressé par cette anecdote que par la cuisson du rôti.

— Parce que la victoire du Canadien avait été remportée à Ottawa et que la partie s'était terminée très tard la veille. Ce sont les fils télégraphiques qui avaient transmis la nouvelle au Parlement. Le premier ministre s'était ensuite empressé de l'annoncer aux députés. Il ne s'attendait certainement pas à un tel débordement de joie de la part de l'Assemblée, supposai-je en acceptant poliment un autre verre de vin.

Le professeur d'histoire souligna la pertinence de mon intervention, mais ne rata pas l'occasion d'étaler son érudition devant ses proches et de m'envoyer du même coup une flèche bien dirigée.

— Si tu passais moins de temps à éplucher tout ce que les journalistes tartinent quotidiennement sur le Canadien, tu saurais que l'Assemblée nationale n'existait pas en 1924 puisque le gouvernement Bertrand vient tout juste d'abolir l'Assemblée législative, déclara l'éminence grise sur un ton professoral.

J'avouai bien candidement mon ignorance en prenant soin d'ajouter, toutefois, que j'avais la liberté de choisir ce qui était bon pour moi.

— Et si mon intérêt était porté ailleurs ? Qui peut m'empêcher de m'intéresser à un sujet qui exerce un effet positif sur moi ? Qui ? Dites-le moi ! demandai-je, rouge comme un coquelicot.

— Pauvre Clément ! J'aimerais bien que tu me dises ce qu'il y a de constructif à regarder des adultes lancer une petite rondelle de caoutchouc dans un filet de pêche, ricana l'érudit à gorge déployée.

— Jeudi soir dernier au Forum, la Sainte Flanelle a effectué une remontée spectaculaire. Béliveau a égalisé la marque avec moins d'une minute à faire et Backstrom a compté le but vainqueur au début de la période de prolongation. Le Canadien ne s'avoue jamais vaincu. Ce ralliement démontre une fois de plus que rien n'est jamais perdu. Qu'il faut toujours garder espoir ! Tout est possible ! Une victoire comme celle-là nourrit mon plus grand rêve, celui de…

— … celui de quoi ? interrompit aussitôt Geneviève.

— Euh ! Rien ! Une autre fois ! Ça serait beaucoup trop long à t'expliquer, répondis-je en lui tenant fermement la main.

Je quittai rapidement la salle à manger en direction du salon où ses deux frères attendaient le début de la rencontre. Geneviève m'y rejoignit peu de temps après. Elle avait ressenti beaucoup de plaisir à me voir tenir tête à son père peu habitué à la controverse. Le rêve que j'avais mentionné l'intriguait beaucoup, mais je ne dis rien. Le moment ne s'y prêtait guère.

Je tentai par tous les moyens de la garder près de moi en alléguant que la finesse et l'élégance de Jean Béliveau en faisaient un artiste sur patins. Rien n'y fit, car dès que les notes endiablées de *La soirée du hockey* se firent entendre, Geneviève se leva d'un bond et monta dans sa chambre pour terminer la lecture d'un roman fantastique.

Assis tous les trois sur le bout du canapé, ses frères et moi attendions impatiemment la fin des hymnes nationaux. Pendant que le ténor entonnait de sa voix puissante ces chants patriotiques interminables, je ressentis durant quelques secondes les vibrations orgasmiques d'une soirée amoureuse mémorable.

Jérôme, l'aîné de la famille, était un fidèle partisan de la Sainte Flanelle ; Maxime, quant à lui, prenait un malin plaisir à favoriser toutes les équipes qui affrontaient le Canadien. Ce qui donnait lieu à de fréquentes empoignades.

La première période se déroula à un rythme infernal et se termina sans avoir fait de maître. La deuxième période nous permit ensuite d'admirer le talent indéniable des deux numéros quatre. Puis, avec moins de cinq minutes à écouler à la partie, les Bruins profitèrent d'une bourde d'un défenseur pour prendre les devants.

— Je vous l'avais dit que Boston gagnerait, hurla Maxime en nous narguant malicieusement.

— Assieds-toi donc ! C'est pas encore fini ! répliqua vivement Jérôme en l'agrippant par le collet.

À cet instant, Geneviève se pointa le bout du nez dans l'embrasure du salon.

— Ça va très mal ! Il ne reste que deux minutes à faire et le Canadien perd, dis-je, les coudes appuyés sur mes genoux et le menton collé sur mes poings serrés.

— Bah ! Ce n'est rien ! Ce n'est quand même pas la fin du monde, déclara Geneviève pour m'encourager.

— Presque ! dis-je en ne quittant pas l'écran des yeux.

La Sainte Flanelle avait réussi tellement de retours invraisemblables par le passé que nous gardions encore la foi… même si les propos dithyrambiques de monsieur Lecavalier à l'endroit du « bon Dieu en patins » minaient notre confiance.

Tout à coup, le vénérable commentateur haussa le ton :

« Orr dégage dans le territoire du Canadien… Le gardien remet le disque à Harris qui le refile aussitôt à Cournoyer… Cournoyer à Savard… Il s'aventure seul en zone ennemie… Il déborde habilement le défenseur… Il lance… et coooooompte !!! »

Le commentateur de la télévision d'État hurla dans son micro la plus belle phrase qui existe : « Il lance et compte ». Phrase dont l'écho retentit jusqu'au plus profond de moi. Une phrase si simple pourtant, mais combien chargée d'émotions. Une courte phrase qui soudait automatiquement les êtres humains entre eux. Le Canadien venait d'exécuter un autre de ses mémorables et proverbiaux retours.

Lorsque la lumière rouge s'alluma, une clameur indescriptible s'éleva de la foule en délire ! Cette courte phrase avait provoqué à cette seconde précise la plus grande euphorie collective qui soit dans tout l'univers.

Jérôme et moi hurlâmes si fort que Geneviève descendit en trombe de sa chambre pour voir ce qui se passait.

— C'est jamais fini ! fis-je en la serrant dans mes bras.

Maxime hochait la tête et n'osait pas le croire. Il s'en remettait, comme tous les sceptiques d'ailleurs, aux Fantômes du Forum qui avaient remplacé la main invisible dans l'imaginaire populaire.

Ainsi, pour se rassurer devant l'inquiétante étrangeté qui le paralysait, le spectateur trouvait dans le comportement de ces créatures diaphanes la réponse à l'inexplicable. À Montréal, on croyait maintenant à l'intervention divine des Fantômes du Forum lorsque la Sainte Flanelle réussissait des retours miraculeux.

Nul ne savait quand étaient apparus les fameux fantômes. Mais, selon la légende maintes fois entendue, le tout aurait débuté durant la soirée du 10 mars 1937 au cours de laquelle le gardien de faction fut foudroyé par une crise cardiaque lorsqu'il aperçut le spectre de Howie Morenz.

Durant la journée qui précéda cette vision fantomatique, des milliers d'admirateurs avaient défilé devant la dépouille mortelle du joueur du Canadien de Montréal exposée au centre de la patinoire du Forum.

Le crépuscule était tombé rapidement le soir du 10 mars quand le gardien du Forum alla en verrouiller les portes. Une fois l'amphithéâtre désert, il avait regagné son poste près de la bière brune. Cette dernière avait été montée sur un support de métal en forme d'accordéon au pied duquel on avait déposé les patins ainsi que le bâton du défunt. De plus, on avait placé sur le cercueil le chandail bleu-blanc-rouge du trépassé étendu sans aucun pli.

Soudainement, l'éclairage baissa considérablement et le sanctuaire fut plongé dans l'obscurité complète. L'angoisse gagna aussitôt notre homme solitaire. La pluie martelait rageusement la toiture métallique lorsque tout à coup le feu céleste, immensément puissant, fendit l'obscurité en deux.

Les traits du pauvre homme devinrent affreux et ses yeux se remplirent d'épouvante lorsqu'une tête blanche aux yeux lumineux, semblables à ceux des chats la nuit, jaillit en trombe de la bière. Confronté à cette intrigante révélation, le corps du gardien fut parcouru par un énorme frisson qui le glaça instantanément.

Cette vision incandescente fit le tour de la patinoire à une vitesse vertigineuse.

Le lendemain, lorsque les employés pénétrèrent dans l'enceinte du Forum à demi obscur, ils remarquèrent qu'à l'une des extrémités de la patinoire une lumière rouge brillait de tous ses feux. La lumière écarlate, projetée alors sur le filet, laissait voir un trou béant dans ses mailles.

On retrouva le pauvre homme agonisant dans les bras de son fils, lui murmurant ses dernières paroles. La laine déposée minutieusement sur le cercueil ressemblait à une peau toute parcheminée, le bâton de hockey était grillé comme une allumette et une odeur fétide étourdissante émanait des patins délacés.

C'était l'Éclair de Stratford qui venait de frapper.

Le lendemain matin, au moment où le cercueil quitta le Forum pour son dernier refuge, le tableau indicateur ne cessa de clignoter tant et aussi longtemps que la dépouille ne fut pas inhumée.

— Vous le croirez si vous le voulez, mais c'est ainsi que me fut racontée la légende du Fantôme du Forum, confiai-je durant l'entracte aux deux frères ébaubis.

Il se passait souvent des phénomènes bizarres et incompréhensibles dans cet amphithéâtre, que certains croyaient toujours hanté… comme ce soir.

Or, pour une deuxième partie d'affilée au Forum, le Bleu-Blanc-Rouge marqua tôt au début de la prolongation et se sauva avec la victoire. Savard sortit à nouveau les marrons du feu et transforma une défaite imminente en une victoire éclatante. Monsieur Lecavalier prétendit même qu'il était devenu le spécialiste des causes désespérées. À ce jour, j'ignorais encore que saint Jude s'était réincarné en joueur de la Sainte Flanelle…

Quelle conclusion éblouissante ! Quelle finale extraordinaire ! Quel suspense insoutenable ! Quel scénario hollywoodien ! Quel théâtre ! Car il s'agissait bel et bien de théâtre !

Depuis son existence, le Forum n'avait jamais été un endroit comme les autres. En fait, ce n'était pas un stade de hockey, mais plutôt un théâtre. Si bien que notre sport national aurait pu fort bien être notre théâtre national tant parfois il parvenait à nous émouvoir et à agiter nos cœurs.

Quand le but de la victoire fut marqué, je bondis de mon siège comme si j'en avais été violemment éjecté, portant mon regard vers le ciel. J'eus durant quelques secondes l'impression de surfer sur une vague de plaisir intense.

— Je savais que la Sainte Flanelle reviendrait ! J'en étais sûr ! Rien n'est jamais perdu ! Je suis certain que je vais la revoir un jour, soliloquai-je pour m'en convaincre.

— Mais de qui parles-tu ? s'enquit Geneviève apparue soudainement derrière moi.

— De ma mère ! avouai-je timidement.

Ce n'est pas sans peine que je lui avouai toute la vérité entourant les circonstances de mon adoption.

Dans mon for intérieur, je savais que les chances de retrouver ma mère un jour étaient très minces sinon inexistantes, mais je continuais de m'accrocher à ce faible espoir toutes les fois que le Canadien remportait une victoire miraculeuse. Ces victoires inattendues ravivaient mon espoir de la revoir. Cet espoir, même s'il devait durer toute ma vie, m'aidait à la garder toujours présente dans mon cœur. Et c'est cela qui comptait le plus pour un laissé-pour-compte ! L'espoir me galvanisait et m'aidait à traverser le temps.

En réalité, qu'étaient mes héros d'antan sinon des porteurs de rêves réalisables ?

Cet aveu arracha les larmes à Geneviève et lui permit de connaître un peu plus cet enfant qui sommeillait en moi.

— Je suis souvent allé à la bibliothèque pour des travaux scolaires, mais j'en profitais aussi pour tenter de retrouver ma mère, confessai-je, penaud. Je me suis rendu des dizaines de fois dans la salle de référence générale de la Bibliothèque municipale de Montréal avec l'unique dessein de trouver un indice qui me permettrait de retrouver ma mère. Je me disais qu'elle était peut-être torturée par des remords et qu'elle souhaitait me ravoir auprès d'elle ou qu'elle avait commis une erreur de jeunesse et le regrettait amèrement. À l'aide de microfilms, j'ai donc épluché minutieusement *La Presse*, du premier jour de ma naissance aux quelques mois suivants, mais en vain. Découragé, j'ai alors abandonné mes recherches, mais non sans avoir parcouru l'annonce nécrologique du 14 décembre 1957, lendemain de la mort de mon père. J'étais extrêmement curieux de lire ce qu'on avait écrit à cette époque. Je ressemblais à l'archéologue qui s'apprête à ouvrir un cercueil et qui ignore ce qu'il va y découvrir. Plus je reculais dans le temps, plus mon pouls s'accélérait. J'avais rendez-vous avec la mort. Soudain la photo sépia de mon père apparut, en dessous de laquelle on pouvait lire que Gérard Belzile, employé modèle de la maison Casavant, laissait dans le deuil son épouse Cécile Belzile ainsi que son frère Charles et sa sœur Thérèse. Mon nom ne figurait pas sur la liste des personnes les plus près du défunt. Comme si je n'avais jamais existé. Ce qui était peut-être vrai au fond. La personne qui avait rédigé l'annonce savait ce qu'elle faisait. Je déplorais de ne pas avoir eu l'occasion de lire cet article à sa mort. J'aurais alors su quelle place j'occupais réellement au sein de cette famille.

— Ne t'en fais pas avec ça ! Je t'aime comme tu es et ton passé ne change en rien les sentiments que j'éprouve pour toi, susurra tendrement Geneviève à mon oreille.

Sa clémence me rassura grandement et chassa de mon esprit les pensées les plus sombres. Je ne doutai plus un instant de son amour et succombai facilement à une demande pour le moins surprenante qu'elle m'adressa au Musée des beaux-arts de Montréal.

Par un après-midi pluvieux d'automne, Geneviève réussit à me traîner à une exposition sur les chefs-d'œuvre de l'Ermitage. Elle avait croisé par hasard une étudiante de son cours en restauration des œuvres d'art, de sorte que je parvins à m'esquiver en douce dans une autre salle consacrée aux peintres canadiens.

Dès mon incursion dans la salle, un tableau attira mon attention. Je restai planté de longues minutes devant une toile intitulée *Jeux d'hiver à Montréal* sur laquelle on pouvait distinguer le pinacle ouvragé d'un clocher d'église derrière une modeste maison de briques rouges. Une galerie donnait sur une ruelle jalonnée de vieux hangars de tôle grise ondulée et, à l'avant-scène, quelques jeunes enfants affublés du chandail du Canadien de Montréal se disputaient une rencontre de hockey-bottine sous les applaudissements d'un homme aux cheveux blancs.

Cette toile me parlait. Parlait à mon cœur d'enfant. Le jeune garçon de six ans qui frappait la rondelle dans un filet improvisé, le sourire fendu jusqu'aux oreilles, était bel et bien Clément Belzile. Il n'y avait aucun doute. L'artiste avait figé dans l'espace un morceau de mon existence.

L'éclairage baissa graduellement, annonçant alors la fermeture du musée. Ce n'est pas sans difficulté que je réussis à me soustraire à la vue de ce magnifique tableau. Geneviève, affriolante dans sa minijupe de tweed, m'attendait sous son parapluie, appuyée contre une colonne gigantesque qui ornait la façade du musée. Son amie venait à peine de descendre les dernières marches de l'escalier central.

— Je m'excuse du retard, mon amour, mais il y avait une toile qui m'a plongé dans un passé lointain. C'était impossible de m'en détacher. J'y ai observé durant de longues minutes le petit Clément de la ruelle Chateaubriand, dis-je en pointant la toile qui figurait dans le guide des visiteurs.

Après quelques pas sur le trottoir jonché de feuilles mortes, je lui posai candidement cette question :

— Comment ça se fait que mes souvenirs d'enfance soient toujours reliés au hockey ?

La bienveillance dont elle fit preuve me surprit.

— Parce que c'est tout ce que tu avais. TOUT ! C'est aussi simple que ça ! répondit Geneviève avec sagesse.

Une réponse brève et sincère qui résumait parfaitement la condition des jeunes enfants de cette époque où il n'y avait que le hockey pour les divertir. Pour les jeunes de mon temps, le hockey représentait tout puisqu'il n'y avait rien d'autre. Ce tout exclusif avait engendré une passion insatiable toujours présente dans le cœur de ces enfants devenus aujourd'hui des hommes.

— Il faut croire qu'on ne guérit jamais de son enfance ! Et c'est très bien comme ça ! Tu sais comme j'adore les enfants... que nous aurons sûrement un jour, n'est-ce pas ? s'informa-t-elle en attendant le feu vert.

Sa demande me sidéra et me réjouit en même temps. À cet instant, une pluie drue martelait le parapluie. Geneviève me prit par le bras et se blottit contre moi.

— Qu'est-ce que tu dirais si l'on se mariait au printemps prochain ? me demanda-t-elle à brûle-pourpoint.

— Ce sera la plus belle fête du printemps ! hurlai-je sans trop réfléchir.

D'autant plus que je ne pouvais pas savoir que le Tricolore ne serait pas convié à participer à la grande fête printanière des séries éliminatoires de la Coupe Stanley pour la première fois depuis vingt-deux ans. Les partisans encaissèrent alors très mal cette rare éviction, de sorte que les tribunes téléphoniques de la radio ne dérougirent pas durant plusieurs jours. Seuls les événements d'octobre causèrent une plus forte commotion chez les Montréalais.

Or, si le champagne ne coula pas à flots dans la précieuse coupe ce printemps-là, il en fut tout autrement dans le Salon Rose du château Frontenac où se déroula la noce entre proches parents et amis. Situé au-dessus du célèbre Bar Saint-Laurent, le chic Salon surplombait la terrasse Dufferin au bout de laquelle l'imposante statue de Samuel de Champlain veillait sur tous les convives.

J'eus alors le plaisir de revoir mon oncle Charles et ma tante Stella que je n'avais pas vus depuis des lunes. Au milieu de la soirée, ma tante profita de l'absence de Geneviève, transportée par une danse endiablée, pour me tenir compagnie.

— J'ai découpé un article de *La Presse* qui a tout de suite attiré mon attention, fit ma tante en sortant du fond de son sac à main la petite annonce.

Je dépliai délicatement l'article, que j'avais effectivement fait paraître le 27 mars dernier:

MÈRE RECHERCHÉE

Où est cette mère aimante qui a accouché d'un garçon le 27 mars 1947 à l'Hôpital général de la Miséricorde de Montréal?

Où est cette mère à qui on a refusé injustement ma présence, me privant ainsi de ses caresses et de ses bons soins?

Je vous tends une main chaleureuse et je souhaite profiter de votre présence affective dont je fus privé à tort.

Votre fils Clément. Pour me rejoindre: 526-6555

Tante Stella trouva l'idée géniale et m'encouragea à répéter l'exercice tous les ans. Elle était persuadée que cet appel ne tomberait pas dans l'oreille d'une sourde. Toutefois, elle prit soin de mettre un bémol au portrait accompli que je traçais de cette femme inconnue.

— Ne t'emporte pas trop, Clément, sinon tu risques d'être amèrement déçu! N'oublie pas: plus tes attentes sont élevées, plus ta déception risque d'être grande si tu ne trouves pas le modèle recherché, me conseilla-t-elle avec discernement.

Quant à mon oncle Charles, il me demanda de l'accompagner jusqu'à sa voiture garée dans les entrailles du château. Après une soirée très bien arrosée, il me remit de peine et de misère une boîte dans laquelle gisaient des objets hétéroclites, quelques photographies de mon enfance ainsi que la laine de la Sainte Flanelle miraculeusement épargnée par les mites voraces. Cette boîte lui avait été remise récemment et provenait de la cave de ma mère adoptive, décédée l'hiver dernier d'une longue maladie.

La nouvelle de sa mort glissa sur moi comme de l'eau sur le dos d'un canard et ne m'empêcha nullement de grimper aux rideaux.

Ainsi, après deux chaudes nuits passées dans une luxueuse suite donnant sur le fleuve, nous regagnâmes notre appartement de l'avenue du Docteur-Penfield situé à quelques pas du Musée des beaux-arts de Montréal où Geneviève s'était déniché un emploi comme protectrice des tableaux.

Quant à moi, j'enseignais le français dans une école secondaire du West Island et je me demandais toujours ce que je faisais là. Les enfants m'avaient adopté comme un grand frère, si bien que je crus que l'enseignement m'avait choisi et non le contraire.

La routine quotidienne ne mit guère de temps à faire son œuvre avec son lot de tracas et de soucis. Toutefois un événement tragique se produisit au printemps 1976, qui allait occasionner de grands bouleversements dans ma vie professionnelle et personnelle.

Au mitan de la première période

Le soir du 28 avril 1976, le vénérable frère Piquette ne se douta pas un seul instant qu'il venait de regarder sa dernière partie du Canadien de Montréal à l'orphelinat Saint-Arsène lorsqu'il éteignit le téléviseur installé dans le dortoir des pensionnaires.

Les trente-deux jeunes pensionnaires rêvaient encore au retour dramatique de la Sainte Flanelle dans les dernières minutes de jeu de la troisième période quand le gardien de nuit donna l'alerte générale.

À deux heures du matin, le feu qui avait pris naissance près de l'incinérateur du deuxième étage se propagea rapidement au dortoir situé au troisième étage de l'immeuble de l'avenue Christophe-Colomb. Les jeunes pensionnaires, âgés de six à quinze ans, furent immédiatement évacués. C'est avec des sentiments partagés qu'ils virent les flammes destructrices dévorer complètement l'institution dirigée depuis 1906 par les Frères Saint-Gabriel. Au lever du soleil, les flammes faisaient toujours rage malgré le travail acharné d'une centaine de pompiers.

Après que le feu eut consumé les vieux murs de l'orphelinat, plusieurs témoins, les yeux rougis par l'émotion, virent bien des souvenirs s'envoler en fumée, dont celui du gymnase construit avec l'argent ramassé durant la cérémonie consacrée à Henri Richard, au Forum, deux ans auparavant.

Je me rappelais avoir regardé cette fête durant la partie de hockey du samedi soir en compagnie de Nicolas, mon fils de quatre ans, déjà affublé de la laine bleu-blanc-rouge. J'avais revu avec un nœud dans la gorge toutes les années de mon adolescence vécues à l'intérieur des murs sombres de l'orphelinat.

Comme le croyaient les chrétiens, ce don libre avait ouvert toutes grandes les portes du royaume de Dieu au principal donateur. Les œuvres caritatives auxquelles les joueurs de hockey participaient donnaient ainsi à la Sainte Flanelle toute son aura.

La générosité témoignée par les frères Henri et Maurice Richard aux démunis de la société avait grandement contribué à la notoriété de l'institution religieuse auprès de la communauté montréalaise, et personne n'avait oublié leur grandeur d'âme. Tous se rappelaient que, sous la laine de la Sainte Flanelle, palpitaient de nobles cœurs toujours prêts à aider les plus défavorisés de la société.

Or, j'appris la triste nouvelle en parcourant la une de *La Presse* aux premières heures du matin. Pour l'une des rares fois, ce n'était pas le cahier des sports que j'épluchai en premier, mais les quelques lignes relatant l'incendie destructeur.

En regardant la photographie de l'orphelinat en flammes, je me rappelai les années vécues à l'intérieur de ses murs. Je revis dans ma tête les patinoires extérieures où il fallait pelleter avant de jouer au hockey. Ce flash instantané déclencha en moi l'envie pressante de me rendre sur les lieux du sinistre avec une idée bien arrêtée.

J'attendis le début de la nuit et franchis illégalement la barrière érigée par les forces de l'ordre. Je me dirigeai ensuite prudemment vers la cour extérieure. Je n'avais qu'une idée en tête : récupérer la plaque commémorative offerte à l'orphelinat par Maurice Richard. Comme j'avais aidé à la fin des années 1950 le frère Piquette à river la précieuse plaque, je n'eus aucune difficulté à repérer les lieux malgré la noirceur qui sévissait.

À mon grand étonnement, la plaque avait été complètement arrachée. Seuls quatre boulons en délimitaient l'emplacement exact. Quelqu'un était passé avant moi. Cela ne faisait aucun doute.

Comme je m'apprêtais à quitter les lieux, j'aperçus au loin le faisceau lumineux d'une lampe de poche. La lumière blafarde provenait de la sacristie. Je m'approchai subrepticement en prenant garde de trébucher dans les décombres encore fumants.

Une silhouette famélique se profilait au loin. Un homme tenait un grand sac de jute dans lequel il déposait deux magnifiques candélabres de laiton. Je crus un instant rêver tellement l'homme ressemblait à Jean Valjean dans *Les Misérables.*

Je m'avançai lentement pour discerner les traits du pilleur. Je le reconnus sans l'ombre d'un doute lorsqu'une énorme poutre se détacha du plafond et atterrit à mes pieds en soulevant un nuage de gravats. Je poussai un cri d'effroi qui me trahit aussitôt.

Je sortais à peine du nuage de poussière blanche lorsque je me retrouvai nez à nez avec le gentleman cambrioleur.

— Fiche ton camp d'ici ! Puis vite à part de ça ! T'as pas d'affaire ici, le jeune ! hurla l'homme d'une voix sévère.

— La plaque est l'affaire de tous, mon frère, répondis-je en me dressant droit devant lui.

— Quelle plaque ? Mais de quel frère parles-tu ? rétorqua l'intrus complètement éberlué.

— Du frère Antonio, répliquai-je en secouant énergiquement la poussière de ma casquette des Expos.

— Tu te trompes jeune homme ! Le frère Antonio est mort depuis plus de quinze ans, affirma l'homme en déposant difficilement le sac sur son épaule.

Or, je n'avais pas rêvé. C'était bel et bien le bon frère Antonio que je retrouvais en pleine nuit en train de remplir son sac d'ornements liturgiques. C'était bien le même homme qui n'avait jamais ménagé son temps et ses efforts sur la patinoire pour m'enseigner à me tenir droit sur mes vieux patins lorsque j'avais à peine douze ans ; le même homme qui avait fait apparaître comme par magie mon chandail bleu-blanc-rouge durant la visite du Canadien ; le même homme qui avait reconnu, dès notre première rencontre, le laissé-pour-compte que j'étais.

Mais cette fois-ci, sa mémoire lui fit défaut, de sorte qu'il eut toutes les difficultés à me reconnaître jusqu'à ce que je lui fournisse quelques indices révélateurs. Il ne pouvait avoir oublié la petite statuette de la Sainte Flanelle de même que son mystérieux tour de prestidigitation.

— Dans mes bras, mon brave Clément ! vociféra le frère Antonio en me sautant au cou comme si j'avais marqué un but avec son assistance.

Il s'enquit aussitôt de ma vie.

— As-tu retrouvé ta mère ?

— Non ! Et je dois dire que plus le temps passe, plus mes espoirs disparaissent, soupirai-je en haussant les épaules.

Je lui racontai dans les moindres détails les démarches que j'avais entreprises quelques années auparavant pour la retrouver, mais sans trop de succès. J'avais même songé à m'introduire par effraction à l'endroit où étaient gardés les dossiers d'adoption, mais j'avais abandonné rapidement cette idée folle. Désormais, je préférais m'en remettre au destin et faire paraître, le jour de mon anniversaire, un avis de recherche dans le journal. Les chances demeuraient néanmoins très minces.

Peu de temps après mon départ, le frère Antonio – alias Victor Potvin – avait troqué la bure pour la pure. Cette jeune femme lui avait donné une merveilleuse fille, mais l'avait quitté récemment pour un plus vert. Il s'empressa d'exhiber fièrement la photographie de sa fille, insérée à l'intérieur de son portefeuille. Il enseignait toujours la géographie à l'orphelinat, du moins l'avait toujours enseignée jusqu'à l'incendie.

Monsieur Potvin habitait encore le quartier Villeray et il se rappelait, quelques années auparavant, avoir eu recours aux services d'un ancien élève pour changer le pêne d'une serrure défectueuse.

Je fus heureux d'apprendre que mon voisin de dortoir avait réalisé son rêve et qu'il avait maintenant pignon sur rue dans le quartier de la Petite-Italie. J'en pris note et fis à Victor Potvin la promesse de visiter un de ces quatre mon bon ami Francesco Castillo.

Avant de nous séparer, le gentleman cambrioleur me fit jurer de garder le plus grand silence sur notre rencontre, en échange de quoi il s'engagea à intercéder en ma faveur auprès de la direction de l'école censée ouvrir ses portes dans le nord de la ville en septembre prochain.

L'idée d'enseigner avec mon ancien maître me ravit d'autant plus que j'appris, sans trop de surprise d'ailleurs, que mes services à la Commission scolaire du Lakeshore n'étaient plus requis.

En effet, je m'étais absenté le lendemain de la victoire du Canadien de Montréal, prétextant un rendez-vous urgent en pédiatrie pour ma petite fille Catherine. En réalité, je ne m'étais pas présenté au travail, car j'avais suivi la parade du Tricolore dans la rue Sainte-Catherine pour fêter la conquête de la dix-neuvième Coupe Stanley. Je ne fus d'ailleurs pas le seul à sécher le boulot puisque près de trois cent mille personnes avaient envahi la célèbre rue pour saluer les héros du jour.

L'école utilisa ce prétexte pour ne pas renouveler mon contrat. Le véritable motif résidait plutôt dans le fait que j'avais revêtu un chandail avec un fleurdelisé durant la séance de photographie tenue en début d'année scolaire. À partir de ce moment, je savais que mes jours étaient comptés, surtout avec la montée fulgurante du Parti québécois dans les sondages populaires.

Comme je risquais de me retrouver sans emploi à l'automne, j'acceptai un poste provisoire au bassin de l'île Notre-Dame durant les Jeux Olympiques de Montréal afin d'honorer la promesse faite aux enfants d'aller au bord de la mer durant les vacances estivales.

Au cours de la dernière épreuve de kayak, je m'empressai de rejoindre les athlètes dans le hangar attenant à la rampe de départ, avec un sac rempli d'une demi-douzaine de chandails de la Sainte Flanelle. Dès que je sortis la laine tricolore du sac, une horde d'athlètes se rua sur moi. L'emblème aux deux lettres entrecroisées avait été rapidement reconnu, de sorte que je me sentis comme un os lancé au milieu d'une bande de chiens affamés. Tous voulaient échanger le maillot de leur pays en retour du chandail du Tricolore.

Après quelques secondes seulement, je repartis avec les maillots de la Roumanie, de la Hongrie, de l'Union soviétique, de l'Allemagne de l'Est et de l'Australie, avec son petit kangourou cousu sur l'épaule. Il existait de ces symboles que nul ne pouvait dissocier. Ceux du Canadien de Montréal ne faisaient pas exception à la règle. Je résistai toutefois fermement à l'offre d'échanger mon dernier chandail contre celui de l'abominable feuille d'érable rouge.

— Si tu avais porté le chandail tricolore au lieu du fleurdelisé, tu aurais gardé ton emploi, me rabâchait sans cesse Geneviève sur le chemin menant aux Îles-de-la-Madeleine.

Je demeurai coi, préférant savourer en catimini les vertus qu'elle reconnaissait enfin à la laine sacrée de la Sainte Flanelle.

Or, les paysages édéniques de l'archipel madelinot eurent tôt fait d'accrocher un sourire enfantin à son doux visage. Geneviève fut aussitôt subjuguée par la beauté naturelle de ce petit coin de paradis perdu au cœur du golfe Saint-Laurent. La lumière resplendissante donnait au bleu du ciel, au rouge des falaises de grès, au vert des collines et au blond des dunes un kaléidoscope de couleurs qui envoûta pleinement l'artiste.

Chaque fois que je roulais sur la route 199, j'étais baigné de cette lumière chaude et attirante. Je pensais continuellement à cette mère que je n'avais pas connue. La lumière éclatante des îles la faisait apparaître au bout de cette longue route droite jalonnée de poteaux électriques. J'avais la sensation de glisser inexorablement par l'étroite ouverture d'un entonnoir et de l'apercevoir enfin. Je n'avais jamais mis les pieds sur ces îles et pourtant j'avais l'impression d'avoir emprunté ce parcours auparavant. Ce mystère impénétrable me hanta durant tout le séjour et vint augmenter mon désir, toujours aussi grand, de la retrouver.

« Suis-je en train de perdre la raison ? » me demandai-je quelquefois en conduisant sur la route maritime des îles.

J'étais cependant tellement heureux de retrouver en Geneviève l'artiste côtoyée jadis que je ne voulus pas gâcher son bonheur par mes rencontres fantasmatiques.

La routine quotidienne avait insidieusement tissé dans nos vies une toile à l'intérieur de laquelle nous nous étions bêtement empêtrés. L'air salin nous redonna immédiatement nos cœurs d'enfant et nous parvînmes à mêler aisément notre douce folie aux rires et aux sourires de Nicolas et Catherine. Jamais nous n'avions vécu une telle fête familiale. Ce climat s'avéra des plus salutaires pour toute la famille.

Nous marchions souvent sans but sur la longue plage de la Martinique en écoutant le clapotis de l'eau sur le rivage et nous nous amusions follement à ramasser des fleurs de sable. La cueillette de ces coquillages pittoresques n'avait d'autre dessein que le plaisir croissant d'en accumuler et de remplir les seaux multicolores des enfants. Cette activité ludique familiale nous rappelait l'ivresse de notre enfance et nous faisait oublier le poids de notre âge avant de retourner jouer à l'adulte.

Quelquefois, nous nous évadions dans un énorme cratère de sable au fond duquel le soleil brûlant mettait le feu à nos épidermes. L'explosion qui en résultait faisait voler en éclats nos vêtements et le regard concupiscent que je portais sur le corps brûlant de Geneviève me soûlait de plaisirs. Après que des cris plaintifs eurent ébranlé la quiétude de ce refuge paradisiaque, je m'amusais follement avec le bout de la plume d'un goéland à tracer des arabesques autour de ses mamelons et de son nombril noyé de grains de sable.

Ce bonheur éphémère dura jusqu'au jour où l'odeur du cuir des sacs d'école submergea le parfum enivrant du varech.

À la mi-août, nous arrivâmes à Montréal après un périple de près de quinze heures. Je dépouillai aussitôt le courrier dans lequel une lettre de Victor Potvin m'informait que l'orphelinat Saint-Arsène, dirigé maintenant par des laïcs, recherchait activement de nouveaux candidats.

Je posai immédiatement ma candidature et obtins un rendez-vous avec la directrice de l'école La Résurrection, institution qui prit la relève de feu l'orphelinat Saint-Arsène. Mon vieux professeur de géographie avait tenu parole. L'émule avait hâte de rejoindre le maître.

La directrice, madame Constance Sainphard, m'accueillit plutôt froidement dans son modeste bureau campé au cœur d'une manufacture désaffectée. La nouvelle école avoisinait une voie ferrée du quartier Ahuntsic et le train qui circula ce jour-là perturba notre conversation à deux reprises.

Elle me considéra d'un drôle d'air. Ce regard hautain me rappelait quelqu'un, mais je ne pus mettre un nom sur ce visage austère. Durant toute l'entrevue, je parvins à éviter son regard, qui m'intimidait drôlement. Je me sentis tout petit, diminué comme un jeune enfant terrorisé par l'autorité cléricale. En un clin d'œil, j'avais perdu toute l'assurance que Geneviève m'avait insufflée la veille grâce à ses précieux encouragements. Ma confiance avait désormais la fragilité d'un bibelot de porcelaine et je ne savais trop combien de temps il résisterait au vent puissant qui soufflait.

— Comme ça, tu as étudié à l'orphelinat Saint-Arsène? me lança-t-elle sitôt assise.

— Oui… oui… c'est exact, jusqu'au mois de juin 1963. J'ai été pensionnaire durant près de cinq ans et j'ai été pris en charge par mon oncle à l'âge de seize ans.

— C'est beau! C'est beau! coupa brusquement la dame en levant le bras comme un policier dirigeant le trafic. Je suis contente de voir que d'anciens élèves de l'orphelinat Saint-Arsène ont réussi dans la vie.

— C'est grâce aux Frères Saint-Gabriel et, en particulier, au bon frère Antonio, avouai-je, un peu flagorneur.

— Je vois aussi que tu as quitté ton emploi le 30 juin dernier, affirma-t-elle en posant le doigt sur la ligne en question de mon curriculum vitae.

— Il est rare que le fleurdelisé fasse bon ménage avec les Anglais de l'ouest, répondis-je en essayant de lui arracher un sourire.

— Tu es sûr que c'est bien à cause du fleurdelisé, sourit ironiquement la directrice.

Sa dernière remarque me figea littéralement et je la reçus plutôt comme une flèche empoisonnée.

Je me sentis tout à coup rougir comme un jeune enfant tancé vertement par sa maîtresse. Son assurance me déculotta et je demeurai pantois. À cet instant, je sentis que les carottes étaient cuites!

La directrice était une petite femme chétive mesurant à peine cinq pieds. Pourtant, quand elle se leva pour me signaler la fin de l'entrevue, je me trouvai plus petit qu'elle. En l'espace de quelques minutes, mes six pieds et quelques poussières avaient fondu comme neige au soleil.

Savait-elle qui j'étais réellement? Est-ce que le frère Antonio avait vendu la mèche? Était-elle au courant que je carburais au plaisir généré par la Sainte Flanelle?

J'avais des antennes hypersensibles qui décelaient la moindre vibration cordiale. Les jeunes enfants privés de l'affection maternelle décodent mieux que quiconque à l'âge adulte les émotions d'autrui à travers leurs gestes et regards. Ils ne se trompent que rarement. Je faisais partie de ceux-là.

Fin de la première période

Contre toute attente, je reçus un appel téléphonique de la secrétaire de l'école, madame Mireille de Marbre, me priant de passer à son bureau dans les plus brefs délais pour signer mon contrat. Je faillis m'étouffer net en avalant la dernière gorgée de mon café.

« La notoriété de monsieur Potvin avait sûrement fait pencher la balance en ma faveur », pensai-je en nouant ma cravate devant le miroir au fond duquel les courbes sensuelles de Geneviève retardèrent mon rendez-vous de quelques minutes.

À la rentrée scolaire, monsieur Potvin me reçut chaleureusement dans la salle des enseignants en m'assignant un bureau avoisinant.

— Merci pour le poste ! C'est à vous que je le dois, dis-je en lui donnant une franche poignée de main.

— J'y suis pour rien ! Maintenant que nous sommes confrères, je te défends de me vouvoyer ! Compris ? m'ordonna Victor en m'écrasant les phalanges.

J'occupais les lieux seulement depuis quelques heures que déjà la directrice était au banc des accusés. Les enseignants reprochaient à la direction de n'avoir trouvé que ces lieux minables et exigus comme nouvel emplacement. On appréhendait surtout le manque de ressources financières pour offrir un enseignement de qualité. Comme c'était la première année de cette école privée, on s'accorda pour laisser la chance au coureur, mais la vigilance demeurait de rigueur.

— Ne fais pas attention à tout ce bavardage ! La direction a tout fait pour dénicher une nouvelle école après l'incendie. Tiens-toi loin de tout ça, me prévint madame Camille Brillon, le regard scrutateur et les lèvres pincées.

Je crus un bref instant la connaître, mais c'était sûrement à cause de ce grasseyement insupportable. Elle me rappelait trop bien les Sœurs de la Providence, auxquelles elle avait appartenu avant de résilier ses vœux quinze ans auparavant. Depuis, elle enseignait la catéchèse. Elle avait quarante-cinq ans, mais elle paraissait en avoir soixante-dix tant sa bigoterie l'avait prématurément vieillie. Elle souriait autant que l'ayatollah Khomeyni et semblait incapable de montrer la moindre gentillesse. On aurait dit que la vie l'avait dépouillée de tout plaisir et lui avait volé un morceau de son existence. J'éprouvai pour cette dame des sentiments partagés entre la méfiance et la pitié.

Par bonheur, mes voisins n'étaient pas tous aussi revêches. Comme je ne connaissais pas encore très bien la clientèle, réputée pour être récalcitrante, je me renseignai auprès d'Eugène Marquis dont le bureau était situé près de la machine à café.

— Bonne chance mon gars ! Tu vas voir que ce n'est pas facile ! C'est quasiment juste des garçons qui n'ont que le sport dans la tête, m'informa le professeur d'histoire du Canada en laissant tomber deux carrés de sucre dans sa tasse de café, le petit doigt vers le ciel.

— Dans ce cas-là, on risque de bien s'entendre !

— Qu'est-ce que tu fais des programmes à suivre et des examens du Ministère ?

— Il n'y a pas d'examen ministériel de français en quatre ! répondis-je du tac au tac.

— S'éloigner de la matière peut être très dangereux. C'est une arme à double tranchant. Si ça fonctionne, tu peux les faire manger dans ta main. Si ça ne marche pas, ta classe risque de se transformer en champ de bataille. Et là, tu peux y laisser ta peau, me confia l'historien en plongeant son nez dans *Le Devoir*.

Il me fallait donc trouver un sujet qui les captive dès le départ. Pas facile de marier le sport avec un cours de français. Je devais frapper un circuit dès ma première apparition dans la classe, car on n'a jamais une deuxième occasion de faire une première bonne impression.

J'abandonnai aussitôt l'idée de faire de la peinture à numéros. Il était hors de question, n'en déplaise à la direction, que je suive aveuglément le programme de français concocté par les ronds-de-cuir du ministère de l'Éducation. La plupart de ces fonctionnaires n'avaient jamais enseigné et ne connaissaient rien à la pédagogie dont ils étaient d'ailleurs totalement dépourvus. Il fallait laisser la passion nous dominer plutôt que de nous laisser dominer par les technocrates de l'enseignement. Enseigner devait demeurer un acte d'amour, un cri du cœur. Faute de quoi, il n'était qu'un geste mécanique et routinier dénué de toute créativité.

Ils ignoraient notamment l'angoisse ressentie par l'enseignant lorsqu'il mettait les pieds dans une classe où trente-quatre missiles à tête chercheuse n'attendaient que la moindre défaillance pour l'abattre sans pitié. J'exagérais, mais à peine.

Il m'arrivait quelquefois d'affronter des élèves rebelles à tout enseignement. Comment réussir alors à les captiver tout en les divertissant ? Comment leur transmettre des connaissances tout en les amusant ? C'est en parcourant le cahier des sports que me vint cet éclair de génie.

Je me rappelai soudainement les événements inattendus qui succédèrent à la dernière conquête de la Coupe Stanley par le Canadien de Montréal. *La Presse* du 28 mai dernier titrait dans sa manchette un événement qui surprit tout le Québec :

COMPLOT D'ENLÈVEMENT
CONTRE GUY LAFLEUR

J'avais retenu durant mes cours de pédagogie qu'un bon enseignant était celui qui réussissait à marier le matériel pédagogique à la réalité. C'est ce que je m'apprêtais à faire. La nouvelle journalistique me servirait à introduire la nouvelle littéraire au programme de la quatrième secondaire. D'ailleurs combien de faits divers avaient nourri de nombreux nouvellistes en manque d'inspiration ! Celui-là s'avérait un scénario à saveur toute hollywoodienne.

J'avais en main tous les ingrédients pour faire une entrée que les élèves n'oublieraient pas. Ce n'était cependant pas l'avis de mes confrères, qui me prédisaient un échec total si je m'obstinais à garder le même plan de match.

— Tu joues avec le feu et tu risques de te brûler les ailes comme Icare, m'avisa monsieur Marquis.

Je me reconnaissais au moins une vertu qui m'avait toujours bien servi jusqu'à ce jour : l'entêtement. Mes héros d'hiver me l'avaient si bien démontré durant mon enfance qu'il m'était impossible aujourd'hui de ne pas en subir l'influence.

— Tu es certain que tu prends la bonne décision, me demanda Geneviève en éteignant sa lampe de chevet.

— Non et j'avoue que ça me fait un peu peur à la veille de commencer, répondis-je en laissant tomber le journal.

— Mais, pourquoi tiens-tu absolument à parler de cette affaire-là ? fit-elle en posant lourdement sa tête sur mon épaule.

— Je l'ignore ! C'est plus fort que moi ! C'est comme si les forces mystérieuses du destin guidaient mes pas vers une voie où je découvrirais enfin ce que je cherche, affirmai-je, convaincu.

— Tu crois encore que tu as toujours des chances de la retrouver ? demanda-t-elle, sceptique.

— Tu vas rire, mais il flottait une odeur familière dans l'air dès que j'ai mis les pieds dans cette école, chuchotai-je en caressant sa longue chevelure.

— Laquelle ?

— C'est difficile à expliquer ! Mais, j'ai le pressentiment que… que…

— Que quoi ? insista Geneviève en levant la tête brusquement.

Je demeurai à court de mots durant de longues secondes. Je tirai délicatement le bouton d'alarme du réveille-matin et éteignis ma lampe de chevet. Je posai un tendre baiser sur les lèvres pulpeuses de ma femme et me retournai en pensant au lendemain. Il me fallut un temps fou pour parvenir à fermer l'œil. Le trac me paralysait déjà.

Je me levai cerné comme un raton laveur. J'avalai un café corsé en toute hâte et nouai la cravate tricolore que Nicolas et Catherine m'avaient offerte à Noël.

Observer les élèves pénétrer dans la classe le premier matin revêtait une grande importance. Cela permettait entre autres d'identifier les emmerdeurs et de repérer les regards torves. L'observation n'allait toutefois pas à sens unique. Les élèves avaient une grande propension à décoder le langage de notre corps. J'évitai bien sûr de me cacher derrière mon bureau pour les accueillir. Ils savaient trop bien reconnaître ce genre de faiblesse. Je me plantai plutôt bien droit près de la porte en affichant de façon ostentatoire les couleurs de ma cravate de soie.

Je me sentais comme un mannequin planté dans une vitrine annonçant la marchandise du magasin. Ce qui n'était pas totalement faux puisque les chandails, bâtons de hockey et rondelles ornant ma cravate donnaient un bref aperçu du spectacle auquel les élèves allaient assister. Car il fallait bien parler de spectacle. Qu'est-ce qu'enseigner, sinon donner un show à trente-quatre adolescents dans une classe où circule une énergie indomptable ?

Les motifs de ma cravate attirèrent aussitôt les regards et plusieurs n'hésitèrent pas à m'adresser la parole avant le début du cours. Ce qui était déjà une victoire en soi, surtout quand les questions provenaient des leaders.

— Où est-ce que vous l'avez achetée, Monsieur, votre cravate ? me demanda un grand sec au visage boutonneux.

— Pourquoi ? Elle te plaît ? répondis-je en pointant le chandail du Canadien sur le tissu précieux.

— C'est la première fois que je vois du hockey sur une cravate ! dit-il, les yeux écarquillés.

— Je ne l'ai pas achetée ! C'est un cadeau de ma famille. Mais, dis-moi, tu aimes le hockey ?

— J'en mange, Monsieur, comme dit souvent ma mère !

— Alors, on va bien s'entendre, c'est ma nourriture aussi, avouai-je en fermant rapidement la porte au son du timbre.

Je ne perdis pas de temps à le prouver et, dès que les présentations d'usage furent terminées, je posai une question aux élèves, qui les surprit totalement.

— Est-ce que quelqu'un peut me dire pourquoi Lafleur a si mal joué durant les dernières séries éliminatoires ?

Je vis immédiatement dans le regard des élèves des points d'interrogation. Mais qui était donc cet hurluberlu affublé d'une cravate de hockey en train de nous parler de Guy Lafleur durant notre premier cours de français ? Ce sont habituellement les élèves qui posent des questions pour sortir de la matière, jamais le professeur.

Je demeurais persuadé que l'histoire rocambolesque de Guy Lafleur servirait de tremplin pour les plonger dans le monde imaginaire de la nouvelle littéraire en l'abordant sous un angle qui leur plairait. Les crimes et les enquêtes ont toujours la faveur des jeunes.

Je commençai mon cours en déambulant à travers les rangées :

— C'est l'histoire d'un jeune homme aux qualités athlétiques exceptionnelles, considéré par tous comme le meilleur joueur de hockey au monde. Partout où il passe, le joueur du Canadien de Montréal soulève les foules lorsqu'il file, crinière au vent, à vive allure vers le filet ennemi. Toutes les fois qu'il marque un but spectaculaire, il suscite la frénésie dans la foule et une joie céleste rayonne sur son visage. Guy Lafleur adore son métier, qu'il exerce avec une passion ardente dès qu'il pose le patin sur la patinoire du Forum. Les Québécois le considèrent comme un vaillant guerrier. Il vient de terminer en tête des compteurs de la ligue et a reçu le trophée du joueur le plus utile. Tout indique qu'il deviendra le héros des prochaines séries éliminatoires.

« Mais tout à coup, lorsque la fièvre du printemps débute, tout s'écroule. Guy Lafleur n'est plus que l'ombre du joueur qui a marqué cinquante-six buts durant la saison.

« Durant la première ronde des séries éliminatoires, il se déguise en courant d'air. Même s'il compte le but victorieux à treize secondes de la fin de la troisième partie, il refuse de se présenter sur la patinoire lors de la présentation des étoiles. Pourquoi fuit-il les feux de la rampe ? A-t-il quelque chose à cacher ? Dans le vestiaire, il déguerpit rapidement afin d'éviter la horde de journalistes. Ces derniers critiquent son jeu anémique et doutent de sa capacité à subir la pression des séries. Sa crinière blonde ne vole plus aussi librement et il n'électrise plus autant les foules. Il connaît bien quelques soubresauts, mais rien pour épater la galerie. Même si le Canadien élimine Chicago, Lafleur a toujours l'œil imprégné de tristesse. Le mystère plane toujours sur la Sainte Flanelle.

« La deuxième ronde des séries voit Lafleur afficher encore un piètre rendement. On se demande pourquoi il ne passe plus la rondelle. A-t-il toute sa tête ? De mauvaises langues avancent même que ses nombreuses escapades nocturnes dans les bars montréalais sont la cause de cette métamorphose. On entend même des huées dirigées à son endroit tellement on le trouve mauvais. Comment a-t-il pu, en quelques semaines seulement, passer de héros à zéro ?

« Le Canadien de Montréal se rend en finale de la Coupe Stanley, mais ce n'est pas à cause de Guy Lafleur.

Plus les séries avancent, plus son étoile pâlit. Même quand il marque, on trouve qu'il ne fait pas bonne impression. On le sent écrasé par la tension. On se demande s'il n'a pas été victime d'un mauvais sort et on se dit qu'un démon, même s'il est blond, n'a peut-être pas sa place dans le sanctuaire du Forum. Les journalistes ne se gênent pas pour le critiquer: "Le pauvre Lafleur ne fait plus rien. C'était un de leurs moins bons ce soir".

« Le Canadien remporte la Coupe Stanley, même si la série a été très pénible pour Lafleur. Tous les quotidiens montréalais affichent à la une les joueurs du Canadien autour de la coupe. Guy Lafleur ne figure sur aucun des journaux. Où se cache-t-il ? De quoi a-t-il peur ? Pourquoi évite-t-il les photographes ? Est-ce à cause de sa physionomie lugubre ?

« Finalement, le chat finit par sortir du sac. Tout le mystère entourant la tenue de Guy Lafleur durant les séries s'éclaircit quelques jours plus tard. La pègre montréalaise menaçait d'enlever Lafleur tout au début des séries éliminatoires et exigeait une forte rançon du Canadien pour sa libération. C'est par hasard que la police découvrit la menace du complot en enquêtant sur un spectaculaire vol à main armée de près de trois millions de dollars aux dépens d'un camion de la Brink's.

« L'enquête se déroula durant toutes les séries et les détectives réussirent à mettre fin au complot en arrêtant les trois conspirateurs. La résidence des Lafleur fut surveillée jour et nuit par deux gardes armés. On comprend mieux pourquoi Guy Lafleur jouait si mal et semblait mentalement et physiquement épuisé. Les menaces qui pesaient sur lui et sa famille l'avaient moralement torturé.

« Ironie du sort, Lafleur termina en tête des compteurs du Canadien durant les séries… »

Sans trop le laisser paraître, je réussis à leur inculquer des notions de la nouvelle littéraire à saveur policière : une situation initiale qui met en scène un personnage principal à travers des comportements qui révèlent ses émotions; un événement perturbateur qui vient modifier l'état d'âme du héros; des péripéties qui découlent de cet événement en insistant plus sur les émotions que sur l'action; une situation finale inattendue qui surprend le lecteur et dans laquelle l'état d'âme du héros a évolué depuis le tout début.

Mon récit avait captivé la classe au point où on aurait pu entendre voler une mouche. J'en fus le premier surpris d'ailleurs. J'avais trouvé bien malgré moi une formule toute simple: enseigner comme j'aurais voulu que l'on m'enseigne. Après tout, enseigner, n'était-ce pas l'art de raconter des histoires qui passionnent les enfants?

Au son du timbre, les élèves quittèrent la classe le sourire aux lèvres en se demandant s'ils venaient bel et bien d'assister à un cours de français. Je m'assis quelques minutes derrière mon bureau pour reprendre mon souffle. Sur le tableau noir, le mot «enlèvement» fit remonter à la surface de bien tristes souvenirs.

Je réalisais qu'on avait brutalement enlevé des bras de ma mère la garde de son enfant. Qui avait été la plus grande victime de cet enlèvement? Ma mère privée de son enfant ou moi privé de ma mère? Je me demandais aussi pourquoi ma mère n'avait pas tenté de retrouver mes ravisseurs. Peut-être que cela avait été moins pénible à vivre pour elle? À qui avait manqué le plus la présence de l'autre? Qui tenait le plus à retrouver l'être ravi? Ces questions me torturèrent l'esprit et ne firent que raviver ma crainte de ne jamais la retrouver.

Je me dirigeais vers le tableau pour effacer de ma vue ce traître mot lorsque la porte de la classe s'ouvrit brusquement.

— Puis, Clément, comment a été ta journée? me demanda Victor Potvin en parcourant mes notes inscrites au tableau.

— Très bien! Je crois que les élèves ont été quelque peu surpris par mon approche, répondis-je en pointant le mot «hockey» au tableau.

— J'en ai eu des échos. Quelques élèves sont venus me voir pour me dire que tu leur avais parlé de l'épisode du complot contre Lafleur. Ils ont adoré. Même les filles ! C'est très astucieux de ta part. Mais, fais attention ! Les murs ici ont des oreilles, me confia-t-il en désignant du menton la classe jouxtant la mienne.

Madame Camille Brillon occupait la classe d'à côté et ne se gêna pas pour critiquer ma stratégie, qu'elle jugea beaucoup trop ludique pour une classe. J'y vis plutôt un brin d'envie, car les cours de catéchèse n'étaient pas très populaires auprès des jeunes. Tous savent que des adolescents de seize ans préfèrent davantage entendre parler de la Sainte Flanelle que de la Sainte Trinité.

Elle me confia qu'elle abhorrait ce sport depuis très longtemps et qu'elle en gardait de très mauvais souvenirs. Ma quête d'en connaître la raison demeura toutefois stérile. De plus, elle était horripilée que des abrutis servent de modèles à toute une jeunesse. Ce à quoi je m'opposais farouchement, arguant que le courage et la ténacité de ces *abrutis* m'avaient grandement inspiré durant ma jeunesse.

C'était un peu grâce à eux si j'avais réussi à m'élever aussi haut dans la société, car jamais je n'aurais pu imaginer, ne serait-ce qu'une seconde, faire carrière dans l'enseignement. Rien dans mon enfance ne laissait présager une telle profession.

— Mais, ton père n'a pas été un modèle plus important ? demanda-t-elle en corrigeant sa dernière copie.

— Je n'ai jamais connu mon vrai père, répondis-je, la voix nouée.

— Est-ce qu'il existe de faux pères ? répliqua-t-elle, narquoise.

— Quand on a été adopté, oui ! rétorquai-je en la regardant dans les yeux.

Ma dernière remarque l'embarrassa drôlement. Elle ramassa rapidement ses livres sur son bureau et quitta la salle des enseignants en soulevant un nuage de poussière.

Comme les élèves, elle avait été sauvée par le son du timbre.

Je ne saurais dire pourquoi, mais cette femme drainait toute mon énergie. Aussi essayai-je d'éviter sa présence, même si elle me collait toujours aux fesses.

Malgré les doléances de ma voisine de palier, je ne me laissai pas intimider et je vis plutôt dans les remarques du frère Antonio un signe m'encourageant à poursuivre dans la même direction.

Nos héros sur glace ont nourri l'imaginaire de quelques écrivains québécois et je n'allais certainement pas m'en priver, même si certains les considéraient d'un mauvais œil.

Ainsi, j'abordai les prochains cours avec la nouvelle de science-fiction « Le fantôme du Forum » dans laquelle des clones de Guy Lafleur rencontrent des robots russes au Forum de Montréal durant le dernier week-end du deuxième millénaire. Un homme déplace les objets à distance et, grâce à ce pouvoir exceptionnel, il réussit à faire triompher les clones contre les méchants *rouges.*

— On ne veut toujours pas accepter la leçon que nous ont servie les Russes durant la *Série du siècle*, lançai-je à la classe pour les piquer un peu.

Au même moment, en ce début d'après-midi de fin septembre, trois lascars d'origine italienne frappèrent à la porte. Ces garçons avaient séché leurs cours en avant-midi. Ils arrivaient du Café Paparazzi de la Petite-Italie où ils avaient regardé le match de la Ligue des Champions impliquant La Juventus de Turin.

Quand les trois *tifosi* firent leur entrée dans la classe, je compris que l'équipe italienne de Turin n'avait pas perdu la première rencontre de ce prestigieux tournoi.

— Allez, Monsieur Belzile, soyez clément ! hurlèrent à l'unisson les plus délurés de la classe.

Je succombai facilement à leur requête sans trop penser aux graves conséquences que cela entraînerait. Je me trouvais à cautionner leur incartade puisque je n'avais pas exigé qu'ils se prévalent de leur billet de retard pour assister au cours. Exceptionnellement, le douanier n'exigea pas de passeport et ferma les yeux.

J'essayais de me comporter le plus souvent possible avec mes élèves comme j'aurais souhaité que mes enseignants eussent agi avec moi. J'éprouvais de la joie pour eux, car je savais le bonheur que l'on ressentait en pareilles occasions. Comme par magie, je me sentis aussi jeune qu'eux. La classe se transforma soudainement en une majestueuse fontaine de jouvence.

Lorsque le son du timbre annonça la fin du cours, je leur avouai qu'il m'était arrivé quelquefois de sécher mes cours pour aller applaudir la Sainte Flanelle dans la rue Sainte-Catherine. Et ce n'était pas toujours en tant qu'élève…

Les élèves adorent entendre de la bouche de leur enseignant des histoires qui leur ressemblent. Comme si notre vulnérabilité nous rendait plus humain, donc moins exemplaire. En agissant de la sorte, je m'étais constitué un capital de sympathie fort lucratif.

Ils esquissèrent alors un petit sourire en coin. Les grandes passions n'ont pas besoin d'interminables palabres. Que le sacro-saint objet soit de cuir ou de caoutchouc, qu'il soit de forme sphérique ou discoïdale, qu'il roule sur la pelouse ou glisse sur la glace, dès qu'il franchit la ligne de but, il suscite la même frénésie, soulève des tonnes d'applaudissements et exalte le cœur de ceux qui en ont.

Ce qui ne fut cependant pas le cas de la directrice. L'indulgence dont je fis preuve auprès de ces trois jeunes partisans de La Juventus n'émut nullement madame Sainphard. Elle me critiqua longuement, prétextant que j'avais encouragé ces élèves à s'intéresser plus au sport qu'à leurs études. Je n'étais pas un bon exemple pour les jeunes. Cette remarque ne m'offusqua point puisque j'avais toujours refusé d'en être un.

Mon manque de jugement valut à mon dossier une note réprobatrice. Je reçus cette volée de bois vert avec stoïcisme. Encore chanceux que la directrice ait ignoré que je m'engouffrais au petit cabinet tous les matins pour éplucher un tabloïd sportif dans tous les sens et mémoriser les classements des joueurs et des équipes. S'il avait fallu qu'elle connaisse tout de ma routine matinale, je crois bien que ma réputation en aurait été plus affectée que si j'avais été un pédéraste invétéré.

Je trouvai toutefois bizarre que la directrice ait eu vent aussi rapidement de mon écart de conduite.

Or, je ne tardai pas à apprendre comment elle avait été informée lorsque, les jours suivants, j'abordai dans mes cours la nouvelle littéraire « L'abominable feuille d'érable sur la glace ». L'étude portait notamment sur l'humiliation subie par un jeune garçon contraint d'enfiler le chandail ennemi des Maple Leafs de Toronto à la place de celui de son idole Maurice Richard. L'histoire se déroulait durant la Grande Noirceur où il n'y avait que la patinoire pour distraire les jeunes d'une existence morne et austère.

— C'est quoi ça, la Grande Noirceur ? demanda le beau ténébreux de la classe.

— C'est une période sombre de notre histoire où l'Église catholique régnait partout. Durant les années quarante et cinquante, nous vivions dans une société dite sacrale. C'est-à-dire que la religion catholique occupait le centre de l'univers québécois autour duquel gravitait toute notre culture, répondis-je en pointant le petit crucifix suspendu au-dessus de la porte.

Ma façon d'enseigner cette dernière nouvelle m'attira les foudres de ma collègue, qui n'apprécia nullement que je fasse le procès de l'Église catholique durant mes cours.

— J'ai déjà assez de difficulté à les intéresser à la religion, ne viens pas m'embêter en plus, m'ordonna Camille Brillon en me talonnant dans les escaliers.

— Je ne fais que raconter la vérité. L'Église a maintenu longtemps le peuple québécois dans la peur et l'ignorance pour mieux le contrôler. Personne ne peut le nier, affirmai-je en tenant la porte du corridor.

— Ton devoir, jeune homme, c'est d'enseigner le français. Pas de leur parler de hockey! me lança-t-elle, rouge comme une cerise.

— La réplique du vicaire-arbitre dans le récit est assez éloquente: « Un bon jeune homme ne se met pas en colère. Enlève tes patins et va à l'église demander pardon à Dieu. » Qu'est-ce que vous en dites? demandai-je ironiquement.

Camille Brillon tourna brusquement les talons et s'engouffra dans le bureau de la directrice, qui referma aussitôt la porte. C'est toujours là que ma collègue se réfugiait lorsque les élèves la tournaient en dérision ou qu'elle sortait en pleurs de ses cours. Elle trouvait chaque fois dans ce bureau une oreille attentive, et qui sait, peut-être une épaule puissante pour lui venir en aide.

Cette femme acariâtre jouissait d'un statut privilégié auprès de la directrice qu'elle connaissait depuis belle lurette. C'est du moins ce que laissaient entendre les rumeurs qui circulaient rondement à l'intérieur des murs de l'école quand ces deux femmes se rencontraient porte close. Certains avançaient qu'elles avaient étudié dans la même institution religieuse lorsqu'elles avaient tout juste seize ans, de sorte que leur vie n'avait plus aucun secret l'une pour l'autre.

Or, comme il n'y a pas de fumée sans feu, je demandai à Victor de fouiller dans le passé de Camille Brillon, lui qui conservait un contact très fiable au sein du clergé en la personne d'un vieil oncle maternel qui l'avait encouragé tout jeune à porter la bure. Le fruit de ses recherches raviva le pressentiment que j'avais éprouvé la première fois que j'avais posé les pieds dans cette école.

— J'ai appris qu'elle est entrée à la maison mère des Sœurs de la Providence à l'âge de seize ans et qu'elle en est sortie après son noviciat, me susurra mon confrère durant le battement entre deux cours.

— Sais-tu à quel endroit? m'enquis-je en voilant ma bouche d'un cahier d'exercices.

— Dans l'est de la ville! Il m'a dit que la bâtisse en pierre grise occupait un immense quadrilatère dont l'un des côtés donnait rue Sainte-Catherine, me répondit Victor, embourbé dans ses cartes géographiques.

J'en déduis alors que l'endroit était sans aucun doute le terrain vague sous lequel ronronnait le métro de Montréal et dont je n'avais rien pu soutirer.

Entracte

Je brûlais d'impatience de raconter le fruit de ma dernière découverte à Geneviève. Ma dulcinée rentrait en fin d'après-midi d'un court séjour à l'extérieur où elle avait assisté, au Musée Isabella Stewart Gardner, à un colloque sur l'art de la restauration des peintures à l'époque de la Renaissance italienne. Délirant !

Petit palais de style vénitien, ce musée était situé dans le quartier Fenway à deux pas du vétuste Fenway Park, *home* des célèbres Red Sox de Boston.

Le Fenway Park était à l'équipe de baseball ce que le Forum de Montréal était au Canadien : un lieu mythique.

Je l'enviais. J'aurais aimé bien sûr admirer les toiles des Raphaël, Rubens et Botticelli en sa compagnie et jouir de ses judicieuses analyses, mais une visite guidée dans le vestiaire jadis fréquenté par les Yastrzemski, Williams et Conigliaro m'aurait subjugué davantage. Ce n'était que partie remise.

En ce mercredi d'octobre, j'étais très loin du Green Monster et beaucoup plus près des petits monstres qui me rendaient quelquefois la vie insupportable. J'avais presque trente ans et déjà quelques cheveux blancs coloraient mes tempes.

Conserver l'attention d'une classe durant soixante longues minutes relevait parfois de l'exploit et aujourd'hui, pendant ce cours soporifique de grammaire, je ressemblais surtout à l'agent de bord livrant ses directives de sécurité aux passagers inattentifs. Je ne pouvais tout de même pas toujours parler de hockey. S'il existait de mauvais publics, il existait aussi de mauvaises classes.

Durant ces creux de vague, je me demandais si j'avais encore ma place dans une classe ou dans un cirque (ce qui semblait parfois revenir au même). Selon moi, l'éducation basée sur la peur et l'autorité absolue, que promouvait la directrice, était périmée. Aujourd'hui, l'autorité seule ne suffisait pas à rétablir l'ordre et le calme dans une classe survoltée. Il fallait, comme le matador, user de la ruse au détriment de la force, car la classe ressemblait parfois à une bruyante corrida. Tout résidait dans l'art de bien manier la muleta.

Pour moi, la ruse passait par le jeu, même si le risque était grand. Je devais trouver une solution et rebondir au plus vite.

C'est alors que je brassais ces idées sombres dans ma tête que le timbre sonore annonça enfin mon départ vers l'aéroport. Je déguerpis aussi vite que le sprinter explosant au coup de pistolet.

J'avais très hâte de retrouver Geneviève. Son absence m'avait paru une éternité et le lit un océan sans fin. Il ne pouvait exister de plus beau moment dans une journée que celui où l'on se pelotonne contre le corps fiévreux de sa bien-aimée. Sentir son souffle chaud comme une brise d'été dans mon cou, m'enivrer de son parfum charnel et m'endormir bras et jambes en torsade jusqu'au petit matin. Rien au monde n'égalait ces moments de plaisirs ultimes ponctués de douceur et de tendresse.

En attendant ce doux moment sublime, je rongeais mon frein dans la lourde circulation de l'autoroute 20. Les émissions radiophoniques précédant une rencontre du Tricolore me faisaient oublier cette file de voitures interminable. Elles meublaient ce temps stérile et ravivaient ma hâte de regarder la partie en compagnie de mon fils. Ces préludes théâtralisaient davantage les rencontres et nous entraînaient dans une sarabande endiablée.

Ainsi, la rencontre de ce soir avec les Flyers au Spectrum de Philadelphie, ville de l'amour fraternel, avait les allures d'une véritable vendetta. Les partisans américains n'avaient pas encore digéré l'humiliation subie par leur équipe aux mains de la Sainte Flanelle le printemps dernier. La partie de ce soir s'annonçait donc tumultueuse. J'étais fébrile. Haletant presque.

J'arrivai finalement dans l'aire de stationnement de l'aéroport de Dorval à l'instant même où l'avion en provenance de Boston toucha le tarmac. Pendant que je cherchais un endroit pour me garer, je revoyais dans ma tête le film des événements qui survenaient habituellement lorsque Geneviève rentrait à la maison après un court séjour à l'extérieur. Je souhaitais ardemment que ce rituel se perpétue ce soir.

Je lui fais couler un bain très chaud aromatisé d'huiles essentielles. Elle vient me rejoindre et me parle de l'exposition qu'elle a visitée. Je ne porte pas trop attention à ce qu'elle me raconte. Mes oreilles ressemblent plutôt à des antennes qui essaient de capter le moindre son émanant du téléviseur. Je feins l'intéressé. Par contre, mes yeux observent son corps voluptueux s'immerger doucement dans la baignoire. Ensuite, je descends rapidement m'asseoir contre Nicolas qui me raconte dans les moindres détails les jeux qui m'ont échappé.

Complètement vannée, Geneviève se couche et entame la lecture d'un roman policier qui finit par glisser sur le plancher, me signalant ainsi qu'elle vient de fermer l'œil. Je remonte en vitesse durant une pause publicitaire et lui administre un doux baiser sur le front en posant une main affectueuse sur sa poitrine dénudée. J'éteins la lampe de chevet et ferme la porte délicatement. Je redescends vivement auprès de mon fils qui déteste ce va-et-vient interminable.

Un capiteux parfum de roses me sortit brusquement de ma rêverie. J'en achetai trois aux couleurs du Tricolore à la fleuriste ambulante qui se moqua poliment de cet assemblage pour le moins hétéroclite. Je reniflai la bleue, la blanche et la rouge en espérant que ce bouquet original m'accorde les faveurs escomptées.

Je m'arrêtai ensuite à la tabagie afin de ramasser quelques paquets de cartes de hockey pour mon fils, qui les collectionnait avec une ferveur toute paternelle. Quand je vins pour payer, un homme prospère passa derrière moi, un énorme cigare vissé au coin de la bouche. Je flairai aussitôt cette fumée blanche opaque qui fit tout à coup ressurgir le souvenir de mon père, que je m'empressai de faire disparaître en plongeant mon nez dans le bouquet de roses.

Je me rendis à toute vitesse à la procession de chariots poussés par des panses ventrues et des peaux calcinées par le soleil floridien. À la fin du long cortège, Geneviève apparut dans toute sa splendeur, vêtue d'un magnifique chemisier de soie blanche sous lequel mes mains avaient dû battre en retraite le matin de son départ.

Je lui remis aussitôt le bouquet de roses qui lui arracha cette remarque humoristique.

— Ça sent la coupe ! ricana-t-elle à gorge déployée.

L'humour était de retour. Son amour aussi. Impossible de les dissocier.

Nos lèvres humides s'imbriquèrent parfaitement et, une fois rendus dans la voiture, la chaleur de nos corps provoqua une buée si intense que le gardien de faction nous enjoignit de ficher le camp au plus vite.

Geneviève se boutonna en vitesse et nous quittâmes ces lieux honteux comme des adolescents pris en flagrant délit. Peu importe l'âge, l'interdit attise le désir et chasse la routine. Nous n'y échappions pas.

Sur le chemin du retour, je l'avisai de ma dernière découverte.

— Je dis que c'est fort possible ! Écoute, elle a quarante-cinq ans. Nous avons exactement seize ans de différence et c'est à cet âge que ma mère a accouché. Camille Brillon est entrée chez les Sœurs de la Providence après avoir quitté l'Hôpital de la Miséricorde et a fait ses études dans une grosse bâtisse grise située rue Sainte-Catherine. Avoue que ça commence à faire pas mal de coïncidences, affirmai-je en baissant le volume de la radio.

— Une minute ! Pas si vite ! Comment sais-tu qu'elle a quitté l'hôpital ?

— Je présume évidemment ! répondis-je un peu agacé.

— Écoute ! Je ne veux pas être rabat-joie, mais il te manque encore quelques pièces du casse-tête. Le mieux serait de le lui demander directement ! Tu en aurais alors le cœur net !

— Ce n'est pas aussi simple que ça ! Vois-tu, la dame en question est peu commode. Si je suis dans l'erreur, je risque de me la mettre à dos le reste de l'année et nous travaillons dans la même équipe. Ça ne serait pas bien vu de la part de la direction. Non, je crois qu'il vaut mieux attendre encore un peu.

— Voilà qui est plus sage ! Mais, je te trouve bien peu enthousiaste pour quelqu'un qui croit avoir retrouvé sa mère, observa Geneviève.

— Disons... que... ce n'est peut-être pas le genre de mère que j'aurais souhaité avoir, avouai-je un peu décontenancé.

— Comme dit souvent mon père : « On choisit pas ses parents. »

— Je suis bien placé pour le savoir ! Si je pouvais choisir entre mille, elle arriverait sûrement bonne dernière !

— Bah ! Pourquoi t'en faire avec ça ? De toute façon, ce n'est sûrement pas elle !

— Tu as peut-être raison ! Comme d'habitude ! conclus-je en levant les yeux au ciel.

— Laisse les choses aller normalement ! Ne force rien ! Le destin va s'en occuper ! Ce qui doit arriver arrivera, me conseilla Geneviève en détachant sa ceinture de sécurité.

Je ne voulus pas la contrarier, mais je sentais toujours dans son regard une profonde inquiétude lorsque j'abordais la question. Comme *je brûlais* de plus en plus, je décidai de me montrer plus discret à l'avenir. Loin de moi l'idée de lui causer du souci.

Dès que Geneviève posa les pieds dans la maison, les enfants lui sautèrent au cou, et le cœur de notre logis se remit à battre de nouveau. Pas assez fort cependant pour enterrer le thème musical de *La soirée du hockey.*

Cet air instrumental interprété par un *jazz-band* moderne transcendait toutes les autres musiques, car il s'adressait directement à mon cœur. Ce morceau faisait remonter à la surface de riches souvenirs reliés à mon enfance. Nulle musique ne me parlait autant !

Le scénario anticipé à l'aéroport se répéta encore une fois. À mon grand plaisir d'ailleurs ! Dans la pénombre, blottis l'un contre l'autre sur le canapé du salon, mon fils et moi nous levions d'un bond lorsque le Tricolore marquait. Si le sport rassemblait les foules, il unissait aussi les pères et leurs fils. Ce soir-là, le Canadien bafoua les Flyers sept à un et Guy Lafleur enfila deux buts. Le Démon blond, chevelure au vent, avait enfin exorcisé ses démons du printemps dernier.

Geneviève n'avait peut-être pas tout à fait tort quand elle affirmait que ça sentait la coupe !

Après la première période, je donnai à Nicolas ses cartes de hockey. L'exhalaison du chewing-gum embauma le salon d'une si forte odeur qu'il enterra celui des roses tricolores. Toutes les fois qu'il découvrait un joueur du Canadien, son visage s'illuminait comme par magie. J'avais l'impression de retourner vingt-cinq ans en arrière et de revivre les seuls moments heureux de mon enfance.

— Est-ce que tu vas écrire le score sur une feuille ? me demanda Nicolas avant d'éteindre la lumière.

— Évidemment ! répondis-je en le serrant très fort contre moi.

Il dissimula ses cartes sous son oreiller. Je savais qu'il avait déjà hâte au lendemain pour les échanger avec ses camarades à l'école.

«Autres temps, autres mœurs», me dis-je en pensant aux cartes dont j'avais été injustement dépossédé à son âge.

Bien que le marché des collectionneurs soit très florissant aujourd'hui, ce n'était pas la valeur pécuniaire des cartes de hockey qui me turlupinait, mais bien leur valeur sentimentale. Surtout la carte recrue de Jean Béliveau, que j'ai si souvent admirée avant de m'endormir après le sempiternel chapelet en famille. Je cherchais alors le sommeil, qui tardait à venir, en me faisant croire que j'étais le joueur qui marquait le but vainqueur durant la prolongation d'un septième match de la finale de la Coupe Stanley.

Même à l'approche de la trentaine, je recherchais toujours le sommeil en m'imaginant dans les patins d'un joueur de la Sainte Flanelle sacré héros de la partie. Et aujourd'hui encore, il m'est difficile de croire que l'on puisse recevoir autant de chaleur humaine aussi instantanément !

Geneviève me dit un jour que l'on ne se remettait que très rarement de son enfance. Elle acceptait mieux que quiconque l'homme que j'étais. Avait-elle épousé celui qu'elle aimait le plus au monde ? Peut-être. Mais il y avait cependant une certitude : elle avait épousé l'homme qui l'aimait le plus au monde. À ce sujet, il n'y avait aucun doute dans mon esprit.

Toutefois, le plus grand doute subsistait toujours ce matin lorsque je croisai Camille Brillon dans la salle des enseignants. Était-ce possible que cette dame de fer soit ma mère ? J'espérais que non et ce souhait fut miraculeusement exaucé durant une réunion précédant une rencontre de parents au cours de laquelle ma consœur fit une intervention des plus inattendues.

— Ces soirées me remuent à tout coup. Je pense aux enfants que j'aurais aimé avoir. Si ma vie était à refaire, je ne serais jamais entrée chez les Sœurs de la Providence, avoua Camille avec un léger trémolo.

Elles n'avaient donc pas toutes un cœur de pierre. Son aveu me toucha et je voulus en savoir davantage.

— Mais qu'est-ce qui vous y a obligée ? lui demandai-je à la fin de la réunion.

— Quand mon père est mort, j'avais seize ans. Ma mère s'est remariée avec un homme qui m'inspirait l'horreur. Son regard me faisait craindre le pire. J'ai alors demandé d'entrer chez les sœurs, qui m'ont convaincue de faire mon noviciat si je voulais enseigner un jour. Comme j'en avais toujours rêvé, le couvent devint alors pour moi un refuge idéal, confia-t-elle avec beaucoup de ressentiment.

— Vous n'avez aucune idée de qui j'ai cru que vous étiez ? glissai-je en rougissant comme une écrevisse.

— J'ai des petits doutes, confia-t-elle avec un sourire complice.

Sa réponse me désarma et je ne pus que hausser les épaules.

Toutefois, sa confession me libéra l'esprit et j'envisageai désormais la soirée de parents les idées un peu plus claires.

Début de la deuxième période

Au petit-déjeuner, Nicolas pouvait passer de longues minutes à plier et déplier le petit calendrier des rencontres du Canadien, nullement inquiet de voir ses céréales ramollir. Cela lui permettait entre autres de savoir quelles parties du Canadien étaient télévisées et quelles autres étaient radiodiffusées. Ce petit calendrier nous causait parfois de vilains maux de tête lorsque l'heure du bain approchait.

De la dimension d'une carte à jouer, l'objet précieux se dissimulait facilement dans les plis de mon portefeuille et s'avérait d'une importance capitale lorsque Geneviève recevait une invitation à souper chez l'une de ses amies. Il aurait été totalement inconcevable de passer une soirée en compagnie d'hôtes foncièrement allergiques au hockey, devant un téléviseur éteint, en sachant qu'au même moment le Canadien jouait contre les Bruins, par exemple. Grâce à ce petit calendrier, je pouvais échapper à ce guet-apens conjugal en évoquant les meilleurs alibis de tout enseignant: la correction ou les bulletins, selon la période de l'année. J'avais amplement le temps de me reprendre le reste de l'année, en dehors de la grande fête printanière des séries éliminatoires, durant lesquelles même les plus hérétiques se mêlaient subrepticement à la parade.

Cet automne, c'étaient les masques des gardiens de but qui bariolaient la couverture du calendrier. D'ordinaire plutôt silencieuse au petit-déjeuner, Geneviève réagit vivement, ce matin-là, en apercevant le masque tricolore du gardien de but de la Sainte Flanelle.

— Je connais ce masque ! lança-t-elle tout en nouant le cordon de sa robe de chambre.

— Qu'est-ce que tu dis ? demandai-je, étonné d'entendre le son de sa voix si tôt.

— J'ai déjà vu ce masque quelque part… reprit-elle, chicotée.

— Évidemment, ma chérie ! Un enfant de cinq ans pourrait identifier le gardien qui se cache derrière ce masque ! Désolé, mais ça ne m'impressionne pas du tout, fis-je en cherchant le cahier des sports de *La Presse*.

— Ne te moque pas de moi ! Pour une fois que je m'intéresse au hockey, tu devrais être content ! roucoula Geneviève tendrement.

— Je suis plutôt surpris ! affirmai-je, levant à peine mes yeux du tabloïd.

Je le fus toutefois davantage lorsque Geneviève, après s'être longuement creusé la cervelle, découvrit enfin la source de sa tracasserie.

— J'ai trouvé ! Dryden ! hurla-t-elle, victorieuse, à la manière d'Archimède.

— Ken Dryden ! précisa Nicolas à tue-tête.

Que Geneviève ait trouvé ce nom n'était pas un exploit en soi, mais ce que j'allais apprendre m'impressionna drôlement. Au point que tous les traits de mon visage se métamorphosèrent en un masque blanc et rigide.

— Il me semble que tu ne connaissais rien au hockey ! déclarai-je, encore ébranlé par ses connaissances.

— Au hockey, non ! Mais à l'art, oui, par exemple ! avoua Geneviève, triomphante.

Dryden était le titre qu'avait donné le peintre québécois Serge Lemoyne à une immense toile représentant le masque du fameux gardien de but sur lequel dégoulinait une peinture tricolore. Ces coulisses évoquent bien l'effort déployé, la tristesse évacuée et la douleur éprouvée au cours d'épiques luttes livrées sur la patinoire par le grand gardien de but. Si le masque protège le gardien contre de mortelles blessures, il camoufle aussi les émotions de l'homme.

J'ignorais en me levant ce matin que j'aurais le privilège d'assister à un cours d'art de la part de Geneviève. Mon masque tomba et je sortis rapidement de ma stupeur.

— Je suis conquis ! J'aimerais bien en connaître un peu plus sur ce peintre, fis-je, admiratif.

— Je t'en dirai plus sur l'oreiller... proposa Geneviève, aguichante.

— Pas ce soir, malheureusement. On devra remettre ça plus tard, répondis-je avec dépit.

Je l'avisai de ma sortie prévue après le travail. Il était d'usage chez la gent professorale de terminer les pénibles soirées de parents au bar du coin et d'y regarder la fin de la partie de hockey.

À cette annonce, le visage de Nicolas se renfrogna subitement.

— Ça veut dire que tu ne seras pas là à soir pour la partie ? mâchouilla mon fils en se pourléchant les babines comme un chat nourri aux sardines.

Ma réponse le chagrina. Il replia maladroitement son petit calendrier et le glissa dans la poche de son pyjama.

Comme toujours, ces soirées tombaient inévitablement le soir d'un match de hockey, et je devais trouver un stratagème pour connaître le pointage de la partie.

Or, il n'y avait rien de plus pénible au monde que d'écouter les jérémiades de mères découragées des piètres résultats scolaires de leur garçon au moment où le Bleu-Blanc-Rouge livrait une lutte aux Maple Leafs de Toronto. Si l'enfer existait, il ne fallait pas chercher ailleurs !

Ces soirées me donnaient la nausée. Quand ce n'était pas carrément le mal de *mères !* Je leur faisais tourner invariablement le même vieux disque usé et leur ressassais les mêmes phrases stéréotypées. Je savais en fin de compte que rien ne changerait la paresse de leur fils adoré. C'est en ruminant ces pensées que je garai ma voiture dans la cour de l'école.

Dès que je posai les pieds dans l'usine du savoir, la réceptionniste m'interpella en ballottant les bras comme un moulin à vent.

— Monsieur Belzile, la directrice tient absolument à vous rencontrer avant le début de votre cours. Elle dit que c'est urgent, me lança-t-elle en me dévisageant drôlement.

Je compris son regard hébété et essuyai du revers de la main le rouge à lèvres imprimé sur ma joue par le doux baiser matinal de Geneviève.

Urgent. Qu'est-ce qui pouvait bien être si urgent pour que l'on me réclame ainsi ? Je n'étais pas chirurgien. Ni obstétricien. Avais-je omis une virgule dans un examen ? Ou déboutonné le col de ma chemise avant le son du timbre ? Ou encore vociféré contre un élève récalcitrant ? Est-ce qu'une mère avait téléphoné pour se plaindre que j'avais inscrit « EN » devant le mot « FIN » au bas de la composition de son fils ?

Le jour de la première soirée de parents de l'année, l'on pouvait s'attendre à tout.

Je n'avais pas encore totalement digéré notre dernière rencontre concernant les élèves retardataires. Le laxisme dont j'avais fait preuve avait augmenté ma cote auprès des élèves, mais l'avait sensiblement diminuée – bien qu'elle fût déjà peu élevée auparavant – auprès de la directrice. Loin de moi l'idée de jeter de l'huile sur le feu.

Avais-je à peine franchi le seuil de sa porte que j'entendais déjà nos corps se tordre de douleur en sourdine. Je déclinai poliment l'invitation de m'asseoir, prétextant une correction à compléter avant le début du cours.

— J'ai reçu ce matin plusieurs téléphones de mères affolées qui tiennent absolument à te rencontrer ce soir. J'ai donc ajouté leurs noms à ta liste de rendez-vous. J'espère que ça ne te dérange pas trop ? me demanda-t-elle avec un sourire à peine déguisé.

— Vous avez bien fait, dis-je, obséquieux.

Je n'avais pas d'énergie à gaspiller avec cette femme acariâtre et, comme la journée s'annonçait sans fin, il valait mieux ménager ma monture.

Ainsi, les élèves s'appliquèrent à analyser la nouvelle « Faust sur glace ». Dans ce texte, un homme minable conclut un pacte avec le diable lui permettant de réaliser son rêve de jouer dans la Ligue nationale, en échange de quoi il promet de ne plus revoir sa femme.

« Je ne suis pas le seul à avoir rêvé de jouer au hockey », me dis-je en distribuant les copies.

J'écrivis ensuite au tableau la question à développer :

Établissez la structure de la nouvelle littéraire et montrez en quoi ce récit est fantastique.

J'observais les élèves s'agiter et remuer sans cesse sur leur chaise, trop petite pour certains et inconfortable pour d'autres. Pendant que les dictionnaires s'ouvraient et se refermaient sans cesse, je déambulais dans les rangées en enjambant difficilement les sacs d'école à l'intérieur desquels régnait un fouillis indescriptible.

Pendant que les filles faisaient glisser leur crayon sur le papier avec une aisance et une grâce qui me ravissaient, les garçons griffonnaient, biffaient, effaçaient et se relayaient sans cesse à l'aiguisoir. Plusieurs d'entre eux, insatisfaits de leur travail, chiffonnaient leurs feuilles, qui s'amoncelaient sur leurs pupitres comme des balles de tennis. Ces garçons rêvaient d'être ailleurs : sur une patinoire ou sur la pelouse. Ils étouffaient littéralement et peinaient à demeurer assis aussi longtemps sans se démener. Génétiquement conçus pour bouger ! Plus de trente minutes s'étaient écoulées et la nervosité s'empara de quelques-uns. Je fus pris, bien malgré moi, comme témoin de leur désarroi. Leur agitation rendit tout à coup l'atmosphère irrespirable.

Je m'empressai alors de changer l'air. L'odeur des feuilles humides embauma aussitôt la classe d'un doux parfum automnal qui calma momentanément les esprits et me plongea dans une légère somnolence.

Soudain, le fracas d'un coffre à crayons sur le parquet me fit sursauter et me sortit brusquement de ma douce rêverie.

Ce vacarme amusa par contre ceux qui ne parvenaient pas à s'appliquer assidûment.

— Voyons ! Un peu de sérieux ! Ce n'est pas le temps de vous amuser, dis-je d'une voix sévère pour rétablir le calme.

Je n'avais guère pris le temps de réfléchir, de sorte que cette phrase toute faite entra par une oreille et en sortit aussitôt par l'autre.

Pendant que l'encre coulait à flots sur les copies dans les dernières minutes de la période, une idée géniale germa au fond de ma tête.

À la fin de l'heure, je ramassai les copies en vitesse et retins les services du grand escogriffe de la classe. Je m'entendais à merveille avec Simon depuis le premier jour de classe au cours duquel les motifs de ma cravate l'avaient grandement impressionné.

— J'ai appris à travers les branches que tu avais accepté de diriger les parents aux étages ce soir, même si ça te faisait manquer le hockey. J'ai une proposition à te faire si tu veux connaître le pointage de la partie, lui dis-je sur le ton de la confidence.

Je vis dans ses yeux toute la complicité que j'espérais. Les élèves adoraient cette connivence qui nous rapprochait énormément. La Sainte Flanelle unissait aussi le maître à l'élève.

— Écoute bien ! Près de la classe de chimie, il y a un petit local dans lequel dort un vieux téléviseur poussiéreux. Durant les temps morts, tu t'y introduis et tu regardes la partie jusqu'à ce que tu connaisses le pointage. Tu inscris alors le score sur une feuille que tu glisseras sous une pile de cahiers que je te remettrai avant. Jusqu'ici, ça va? lui demandai-je en craignant un refus.

— Aucun problème, Monsieur Belzile, répondit Simon, les yeux vifs comme des charbons ardents.

— Je te laisserai, bien sûr, la clé du local avant le début de la rencontre de parents. Dès que tu sauras le pointage, tu n'auras qu'à frapper à ma porte et à déposer sur mon bureau la pile de cahiers.

— Je ne savais pas que vous étiez aussi maniaque, Monsieur!

— Je te conseille fortement d'enterrer dans ta petite tête ce que tu viens d'entendre! lui rappelai-je en pointant mon majeur sur son front.

— C'est déjà fait, Monsieur, convint Simon, le sourire fendu jusqu'aux oreilles.

Après un souper avalé en vitesse dans une gargote du coin, je montai à ma classe afin de finaliser l'entente conclue avec Simon et recevoir, comme un curé dans son confessionnal, mon premier client.

J'accueillis en tout premier lieu une femme élégante et gracile. Je la fis asseoir devant mon bureau et en profitai pour admirer le galbe harmonieux de ses mollets recouverts d'un bas de nylon noir. Elle posa ses mains sur mon bureau. J'en remarquai la blancheur ainsi que le vernis à ongles rouge vin qui enjolivait ses doigts effilés. Elle portait un magnifique chandail en mohair bourgogne avec une légère échancrure ornée d'une fine broderie qui mettait en évidence une poitrine généreuse. J'éprouvai de la difficulté à lever les yeux d'un aussi beau tableau, mais le fis lorsqu'elle toussota doucement pour me le suggérer.

— David vit des moments très difficiles ces temps-ci! Je viens de quitter mon mari et mon fils accepte très mal notre séparation. J'ai bien peur que cela n'affecte ses résultats scolaires. J'aimerais bien, Monsieur Belzile, que vous vous montriez compréhensif à son égard si vous apercevez des changements dans son comportement, car ce que je dois lui apprendre sur nous risque de le perturber grandement, me confia-t-elle d'une voix saccadée.

À peine cinq minutes et la voix réconfortante de René Lecavalier me manquait déjà ! La soirée risquait d'être très longue.

— David est un enfant que nous avons adopté quand il avait six mois. Ma sœur jumelle et son mari sont décédés dans un terrible accident et nous l'avons pris en charge. Sans notre intervention, il aurait été placé dans une famille d'accueil, avoua la mère, près des larmes.

— Et vous hésitez à le lui dire ! N'est-ce pas ?

— J'ai toujours attendu. Mais je me demande encore si c'est vraiment le bon moment de lui dire qui sont ses vrais parents.

— Il n'existe jamais de bons ou de mauvais moments. Vous ne pourrez lui cacher éternellement la vérité. Un jour ou l'autre, il va bien finir par l'apprendre. Aussi bien que ce soit par vous maintenant et non plus tard de la bouche d'un étranger, dis-je en me croisant les bras.

— Vous avez peut-être raison, mais vous ne craignez pas qu'il se révolte ?

— Non, je ne crois pas. Les circonstances entourant son adoption sont beaucoup moins dramatiques que si sa mère biologique avait été obligée de s'en débarrasser en le donnant à de purs étrangers. David a quand même une filiation consanguine avec vous. Ça risque d'être beaucoup moins pénible, affirmai-je avec assurance.

— Merci beaucoup, Monsieur, je vais y réfléchir encore ! Mais, dites-moi, est-ce qu'il existe vraiment des mères qui abandonnent leur enfant à de purs étrangers ? demanda-t-elle, toujours aussi volubile.

— Je n'en connais pas personnellement, mais je sais que cela existe.

— Quel malheur pour ces enfants !

— Je ne vous le fais pas dire ! Heureusement que la Sainte Flanelle vole à leur secours !

— Je ne comprends pas, dit la dame, contrariée.

— Il n'y a rien à comprendre ! C'est un mystère, rétorquai-je en souriant.

La dame demeura figée comme une statue de marbre durant quelques secondes.

— J'espère que la vérité n'affectera pas ses résultats scolaires, me confia-t-elle, le visage torturé.

— Évidemment ! C'est ce qui compte le plus ! lançai-je ironiquement.

Comme les états d'âme de David la préoccupaient moins, je m'empressai de la rassurer sur les résultats du jeune garçon, paresseux comme un lézard, avant son départ.

— Vous savez, Madame Desruisseaux, ses résultats ne sont pas si mauvais que cela. Mais le jour où il se décidera à faire ses devoirs et à remettre ses travaux à temps, ses résultats augmenteront sensiblement. Ce n'est pas le talent qui manque ! Il a tout pour réussir ! Encore faut-il travailler ! conclus-je en songeant au facteur qui accusait un retard exaspérant.

J'aurais voulu ajouter qu'il lui manquait un peu de plomb dans la tête, mais je craignis que cela aggrave la situation. De nos jours, l'enseignement consistait en l'art de mettre des gants blancs afin de ne pas heurter la susceptibilité des parents aveugles.

Au moment où je terminai de défiler ma cassette, une main hésitante frappa à la porte. C'était le facteur imberbe.

— Entre, Simon, lui ordonnai-je en dégageant le coin de mon bureau.

À l'instant où il s'apprêta à déposer la pile de cahiers, aussi imparfaite qu'une stalagmite, la dernière feuille se détacha et atterrit sur le parquet de bois franc. Nos regards étonnés se dirigèrent tous vers le sol :

SAINTE FLANELLE : 0

TORONTO : 1

J'esquissai une vilaine grimace qui fit sourire la dame.

— Les élèves aiment beaucoup le hockey! dis-je, un peu embarrassé.

— Seulement les élèves? répliqua-t-elle en fouillant dans son sac à main.

Avant de lever l'ancre, madame Desruisseaux me remit sa carte d'affaires.

— N'hésitez pas à m'appeler! fit-elle en me donnant la main.

Je lançai vivement sa carte au fond du tiroir comme on lance une carte de hockey, mais non sans y avoir remarqué le logo de *La Presse.*

Aussitôt la dame sortie, un homme d'allure rustaude entra en ayant préalablement admiré sa jolie silhouette. La femme lui jeta au passage un regard des plus malicieux.

Il me donna une poignée de main humide dont je me libérai avec dédain. L'homme me tutoya sans vergogne, de sorte que je fis tourner ma cassette à une cadence si rapide qu'il eut à peine le temps de griller une cigarette.

Cette visite donna le tempo à la soirée, si bien qu'à vingt et une heures le corridor était aussi désert que la Métropolitaine un dimanche matin.

J'en profitai alors pour m'éclipser par l'escalier de service afin d'éviter la guérite administrative.

Soudain, Constance Sainphard m'interpella.

— Tiens! Prends ta clé! Tu risques d'en avoir besoin demain matin! me lança-t-elle sur un ton péremptoire.

Je la remis dans mon trousseau en serrant les dents et quittai les lieux sans me retourner.

« Est-ce possible que Simon m'ait trahi? » me demandai-je en ouvrant la portière.

Dès que je démarrai, la voix éclatante de Winston McQuade me plongea dans un autre monde: « Après deux périodes, le Canadien tire de l'arrière deux à un. »

La troisième période s'annonçait fertile en émotions au bar Le Tonneau d'or où quelques enseignants s'étaient donné rendez-vous après cette interminable journée. Une forte odeur de bière et de tabac imprégnait l'endroit.

Victor Potvin était déjà attablé près du téléviseur suspendu au plafond. Une bonne blonde froide me regardait impatiemment. Je ne la fis pas attendre et, avant même d'adresser la parole à mon confrère, je me rinçai la dalle obstruée par une désagréable poussière de craie.

— J'ai une bonne nouvelle à vous apprendre ! Ma demande de congé sabbatique a été acceptée, de sorte que mon rêve de faire le tour du monde va enfin se réaliser, nous annonça le professeur de géographie en levant son verre.

La nouvelle nous sidéra au point d'oublier le début de la troisième période.

— Tu pars quand ? lui demanda énergiquement Napoléon Branconnier.

— Dans un peu moins de deux mois ! Après les fêtes, je vais passer une semaine à Paris chez une copine. Ensuite, je pars pour la Crète où je compte me reposer quelques semaines. Le temps de recharger mes batteries.

La nouvelle de son départ m'ébranla quelque peu. Le frère Antonio m'avait toujours supporté et s'était avéré un cicérone émérite. Je ne pouvais que me réjouir pour ce grand frère. Après toutes ces années passées auprès des jeunes, il méritait bien une pause.

Des enseignants d'une école avoisinante se joignirent à nous pour fêter la belle leçon de hockey que le Canadien servait à ses éternels rivaux. Devant le hockey, n'étions-nous pas tous semblables ?

Acrobatique et béni des dieux, le gardien de but du Tricolore exécuta une performance aussi éblouissante que celle du printemps dernier. Le trio Shutt-Lemaire-Lafleur participa aux cinq buts du Canadien en troisième période. La bière coulait à flots et les visages de carême rencontrés durant la journée prirent une autre teinte.

Rien ne valait cette petite pilule de plaisirs pour remonter le moral des troupes.

Près de notre table, un partisan de l'équipe adverse devint si belliqueux à la toute fin qu'il fut évincé *manu militari*. Il n'était pas rare que de tels débordements chauvins surviennent après ces rencontres dites fraternelles.

Je restai jusqu'à la fermeture et rentrai au petit matin le cœur en fête. Un billet griffonné de la main de Nicolas trônait au centre de la table. La lumière tamisée du lustre de verre blanc projetait sur les chiffres et les lettres un faisceau ambré qui m'attira dès que j'ouvris l'interrupteur.

J'inscrivis le pointage final sur le billet et le déposai sur sa table de chevet. Je savais que la victoire du Canadien illuminerait sa journée.

Mon enthousiasme matinal en prit cependant pour son rhume lorsque j'appris que Simon et deux de ses amis avaient été suspendus par la direction pour avoir fumé des herbes illicites.

— C'est quoi l'idée de prêter ses clés à un élève durant une soirée de parents ? tempêta la directrice, démontée comme une mer en furie.

— Simon devait regarder la partie de hockey dans ses moments libres et venir me remettre le pointage de la partie sur une feuille. C'est tout ! Il n'y a pas lieu d'en faire un plat ! Je ne pouvais quand même pas prévoir que le local servirait de fumoir, répliquai-je pour ma défense.

— Un bon enseignant se doit de prévoir les mauvais coups ! Mais ça ne semble pas être ta marque de commerce, souffla-t-elle, cinglante.

— Je ne suis quand même pas responsable de ce que les élèves consomment !

— Non ! Mais s'ils n'avaient pas eu d'endroit pour se cacher, cela ne serait sans doute pas arriver !

— Je n'en suis pas si sûr ! Vous devriez faire une virée dans les toilettes de temps en temps. Vous découvririez que les jeunes préfèrent fumer la mari que la prier ! ricanai-je pour dédramatiser un peu la scène.

Mais l'heure n'était pas à la rigolade dans ce bureau éclairé de discrètes fenêtres. L'occasion était trop invitante pour qu'elle contienne tout le fiel emmagasiné depuis le début de l'année. Elle égrena son chapelet le regard fulgurant.

— As-tu toujours seulement le hockey dans la tête ? Y a-t-il autre chose dans la vie pour toi que le hockey ? Quand on travaille, ce n'est pas le temps de jouer. Je t'ai engagé pour enseigner, pas pour t'amuser avec les jeunes et passer ton temps à parler du Canadien ! À l'avenir, je veux que tu évites d'en parler avec les élèves et que tu montres plus de sérieux, fulmina la directrice vautrée dans son fauteuil de cuir capitonné.

J'essuyai cette diatribe sans broncher, laissant tomber les coups sur moi comme une grêle sur le toit.

Ainsi je ne faisais pas sérieux. Je faisais plutôt plaisir. Et le plaisir était très mal perçu dans cet établissement scolaire pour quiconque s'y adonnait avec trop de vigueur. On me voyait comme un être suspect qui risquait de se perdre et surtout de perdre les autres. J'étais encore cette éternelle brebis égarée qui s'éloignait du droit chemin. Ici de la rectitude pédagogique.

— Ne peut-on pas avoir du plaisir tout en enseignant ? demandai-je candidement.

— C'est impossible ! répliqua-t-elle sèchement.

— Mais comment pourrais-je donner libre cours à ma passion sans la moindre folie ?

— Garde cette passion à l'extérieur de l'école !

— Mais, je suis cette passion ! Je ne peux pas me diviser en deux !

— Il faudra alors que tu songes à te passionner ailleurs ! Sinon, j'y verrai personnellement, menaça-t-elle furieusement.

Ne sommes-nous pas libres de choisir ce qui entraîne une attraction bienfaisante sur nous ? Qui peut minimiser l'importance qu'exerce le plaisir chez l'être humain ? À part évidemment ceux dont la morale abrite encore un fond puritain. Cette même morale qui prohibait jadis les cartes, l'alcool et le sexe. Il y avait dans ce bureau une très forte odeur de jansénisme qui me donnait envie de vomir.

Je n'étais pas en odeur de sainteté auprès de cette femme et j'ignorais toujours les raisons qui la rendaient si hostile à mon égard. Pourquoi prenait-elle un malin plaisir à me rabaisser comme le plus ignoble paria ? Qu'avais-je donc fait pour mériter un tel sort ?

Soudain, le visage de la directrice se rembrunit à nouveau.

— J'ai reçu avant-hier le président du comité de parents. Il m'a fait part que des parents se sont plaints de la trop grande place qu'occupait le hockey dans tes cours. Les parents souhaitent que la situation change au plus vite afin que leurs enfants ne perdent pas leur temps, ajouta-t-elle à sa liste de doléances.

— Pourtant, j'ai reçu plusieurs parents qui m'ont affirmé le contraire et qui étaient heureux de constater que, pour la première fois, leurs enfants n'entraient pas dans la classe de français à reculons, répliquai-je, un peu narquois.

— Il y aura toujours des exceptions !

— Ça dépend de quel côté de la clôture on se place, soulignai-je en essayant de contenir la rage qui m'habitait.

Si des missiles avaient occupé mes orbites, mon regard l'aurait anéantie sur-le-champ.

— Vous auriez pu rajouter à votre longue liste d'épicerie le nom de Camille Brillon. Que vous connaissez bien, je crois ? Elle n'apprécie pas du tout le contenu de mes cours. Si les Beatles furent à une époque plus populaires que le Christ, pourquoi aujourd'hui la Sainte Flanelle n'aurait pas damé le pion à la Sainte Trinité ? demandai-je en me levant lentement de ma chaise.

Je sortis de son bureau la queue entre les jambes, longeant les murs du corridor comme une ventouse afin d'éviter la horde sauvage qui sortait en trombe du dernier cours.

J'arrivai ainsi de peine et de misère dans la salle des enseignants.

J'y laissai tomber mon sac si lourdement sur mon bureau que Victor sursauta, le nez alors plongé dans ses interminables corrections.

— Je m'excuse ! Je ne voulais pas te déranger !

— C'est rien ! Je t'attendais justement ! fit Victor en déposant son crayon rouge, l'arme la plus redoutable de l'enseignant.

— Pas ce soir, Victor ! Je ne file vraiment pas pour aller prendre une bière. Je sors du bureau de la directrice. Cette femme est un vampire ! Elle me suce toute mon énergie ! À la moindre erreur, elle s'acharne sur moi ! Elle veut ma peau ! Je le sens depuis trois mois ! Je ne me trompe jamais dans ces situations-là ! J'ai bien peur que nous ne fassions jamais bon ménage, avouai-je, décontenancé.

— Dans ce cas-là, il n'y a qu'une solution ! Le divorce ! trancha-t-il mi-figue, mi-raisin.

— Voyons, Victor, tu n'y penses pas ! C'est complètement ridicule ! Je n'ai pas les moyens de quitter mon emploi, répliquai-je en haussant le ton.

— Pas besoin de monter sur tes grands chevaux ! Je disais ça pour rire ! C'est sorti tout seul ! Oublie ça, veux-tu ? Je te suggère plutôt de faire comme si elle n'existait plus ! Évite sa présence autant que possible ! Chasse-la de tes pensées ! Il en va de ton bien-être, me conseilla Victor sur un ton paternaliste.

— Je m'excuse, mon vieux ! J'ai les nerfs à fleur de peau ! confessai-je, honteux.

— Retiens bien ceci, Clément ! L'important, c'est que les élèves aiment tes cours et qu'ils sentent que tu les aimes ! C'est ce qui compte le plus ! Le reste n'a aucune importance ! Pourvu que les enfants soient heureux ! S'ils le sont, ils vont apprendre et retenir ce que tu leur enseignes. C'est la seule recette que je connaisse pour avoir du succès dans l'enseignement, philosopha l'ex-frère Saint-Gabriel.

— Tu es un vieux sage, Victor !

— Sage, je veux bien ! dit-il avec un sourire taquin.

Mais quelle mouche avait piqué Victor ? Qu'avait-il découvert récemment chez cette spartiate au point de ressentir autant de méfiance à son égard ? Qu'avait-il appris que j'ignorais ? De quoi voulait-il me protéger ? Pourquoi désirait-il m'éloigner de cette femme ? Son attitude me déstabilisa curieusement et rendit l'homme encore plus mystérieux. Tantôt alarmiste, tantôt rassurant, Victor semblait littéralement déchiré. Difficile de sonder le fond de son âme.

— Ce n'est pas tout ! Elle veut que je change ma façon d'enseigner ! Aussi bien me passer les menottes ! Je me sens comme un enfant qu'on vient de mettre en pénitence dans le coin de la classe. Peut-être que je ne suis pas fait pour l'enseignement après tout ? admis-je, la mine déconfite.

— Laisse-la faire et continue d'enseigner avec cette même folie ! Il faut que tu restes toi-même ! De toute façon, elle ne peut rien faire pour t'obliger à changer ! Personne ne peut te forcer à agir contre ta volonté que ce soit ici ou ailleurs, me recommanda fermement Victor.

Ces bonnes paroles me remontèrent un peu le moral, mais pas autant que ce qu'il m'offrit.

— J'ai quelque chose dans la poche de mon veston qui va peut-être chasser tes idées noires, fit-il en exhibant fièrement deux petits cartons rectangulaires.

— Es-tu fou ? Pas un billet de hockey pour la partie du Canadien ? hurlai-je en levant les bras dans les airs.

— Le père d'un élève m'a promis deux billets à la soirée de parents et son fils vient tout juste de me les remettre.

— C'est le vent que ça prenait pour chasser d'un coup les gros nuages, confiai-je en serrant chaleureusement mon ami dans mes bras.

Témoin de notre conversation, Réjean Lauzon, le rondelet concierge, nous refila le nom d'un bar olé olé qu'il fréquentait chaque fois qu'il assistait à une rencontre du Canadien au Forum de Montréal.

Je vis alors dans les yeux de Victor un déclic qui nous obligea à faire un long détour chez lui…

Au mitan de la deuxième période

Avant de pénétrer dans La Mecque du hockey, Victor m'invita à souper à la Taverne Toe Blake située à deux pas du Forum.

Pour sentir le pouls de la ville les minutes précédant un match au Forum, il fallait descendre dans ces lieux maudits du clergé et honnis de la gent féminine.

Les murs étaient tapissés de vieux clichés jaunis datant de la Deuxième Guerre mondiale et de bâtons aux palettes droites comme des règles à mesurer. Des vieilles paires de patins aux lames rouillées étaient de plus suspendues au plafond. Comme si on avait voulu préserver à jamais la mémoire des Richard, Lach, Bouchard et Blake.

À côté de notre table, plusieurs hommes aux cheveux blancs et aux pifs rougis par l'alcool buvaient les paroles de Doug Harvey, illustre défenseur du Canadien dans les années 1950. Il ne tarissait pas d'éloges à l'endroit de ses anciens coéquipiers et il les implorait de transmettre aux jeunes joueurs du Canadien le même désir de vaincre et la même soif de victoire. Il le fit en levant son verre et en hurlant à pleins poumons la devise du Canadien : « Nos bras meurtris vous tendent le flambeau, à vous de le porter bien haut ! »

Nous eûmes l'impression d'avoir participé à une vaste communion houblonneuse qui nous mit aussitôt le cœur en fête.

Des milliers de spectateurs s'agglutinèrent ce soir-là dans les gradins du Forum de Montréal pour assister au jeu diablement relevé du Démon blond. Celui que j'avais si souvent observé à la télévision allait s'exécuter devant moi en chair et en patins. C'était trop beau pour être vrai !

Dès qu'il chaussait les patins, cet homme simple se métamorphosait soudainement en un être exceptionnel qui m'émerveillait et ressuscitait toute la féérie bleu-blanc-rouge de mon enfance.

Ce surhomme me fascinait parce qu'il s'éloignait de la réalité que je désirais justement fuir. C'est en remuant ces idées que je m'apprêtais à pénétrer dans le célèbre amphithéâtre où se pressait une immense multitude.

Je jetai un coup d'œil à ma montre. Elle marquait très exactement dix-neuf heures. Nous passâmes les tourniquets. Une puissante vague humaine nous souleva et nous précipita dans le monde enchanté du Forum. Désormais, le temps réel n'existait plus. Seul le temps suspendu au-dessus de la patinoire comptait.

Mon ami, toujours aussi féru de photo, s'en donna à cœur joie. Il semblait aussi impressionné qu'un touriste traversant la nef d'une majestueuse cathédrale gothique.

Aussi invraisemblable que cela puisse paraître, je n'avais jamais mis les pieds dans ce Temple béni des dieux. Au mieux m'avait-on fait miroiter la promesse de m'y amener un jour ! Le souvenir très amer de cette privation me revint soudainement et je m'efforçai de le refouler aussitôt.

Mon regard se dirigea vers la passerelle de la presse. Je ne comprenais pas pourquoi cet endroit attirait toute mon attention.

— Cherches-tu les Fantômes du Forum, ricana Victor en enfouissant son petit appareil photo dans la poche de son long paletot gris.

— Tu vas rire, mais je crois en avoir aperçu un, avouai-je le plus sérieusement du monde.

— J'allais siffler le vendeur de bière, mais je vais attendre encore un peu, déclara mon confrère ébaubi.

Le spectre de mon père planait au-dessus de la passerelle et je ne parvenais pas à savoir pour quelle raison.

— Oublie ça, Clément ! Remuer le passé ne donne jamais rien. Plus on creuse, plus ça sent mauvais. Crois-moi, il vaut mieux laisser au passé son lot de souvenirs pas toujours rigolos et vivre plutôt le moment présent, me conseilla-t-il sagement.

Cet iconoclaste semblait en connaître plus que moi sur mon passé, qui tentait laborieusement de se frayer un chemin à travers les méandres de ma mémoire. L'énigmatique monsieur Victor continuait de m'intriguer. Cet homme était une fine lame au jugement souvent tranchant.

Je détournai enfin mon regard du sommet lorsque les joueurs exécutèrent leur première entrée sur la patinoire au son wagnérien de *La marche des Walkyries.* Cette musique endiablée, rutilante et hyperpuissante électrisa les spectateurs, qui se levèrent d'un bond pour accueillir ces nobles chevaliers.

Je me joignis instinctivement à cette foule débridée. Je n'étais plus cet enseignant investi d'une mission exemplaire. J'étais un partisan de la Sainte Flanelle comme ces milliers d'autres dans ces gradins tricolores et comme les centaines de milliers d'autres qui avaient foulé depuis des temps immémoriaux les marches des bleus, des blancs et des rouges.

La tradition se perpétuait inexorablement.

Or, que l'on ait été col bleu ou col blanc, rat de bibliothèque ou de laboratoire, philosophe ou écrivain, curé ou bonne sœur, fils de ministre ou fille de joie, rocker ou hippie, comédien ou danseur, manuel ou intello, nous descendions tous d'hommes et de femmes qui dessinaient de leurs vieux patins mille et une arabesques sur les eaux gelées de nos campagnes blanches, comme les a si bien peintes Jean-Paul Lemieux.

Le hockey était à Montréal ce que le foot était par exemple à São Paulo : un produit culturel issu de conditions climatiques particulières.

Je frétillais toujours sur mon siège comme un poisson au bout de l'hameçon. Victor me demanda de me calmer un peu puisque la partie n'était pas encore commencée.

Difficile, car assister à une rencontre du Canadien équivalait à écouter un opéra italien. Verdi demeurait à l'opéra ce qu'était le Canadien au hockey : une bombe à retardement chargée d'émotivité prête à éclater à tout moment au visage du spectateur.

Le jeu des autres équipes ressemblait à côté à de l'opérette.

Lorsque la période d'échauffement prit fin, je me calmai un peu, mais sans jamais détourner mon regard de la passerelle.

Avant que des cris de joie ou de détresse ne s'élèvent de cette foule compacte massée dans les gradins de l'amphithéâtre, un rite quasi sacré précédait toujours ces rendez-vous populaires. On se rendait au Forum de Montréal comme ailleurs on allait à l'église : avec décorum.

Avant que le rideau ne se lève, les joueurs sortirent en trombe sur la patinoire en accomplissant une chorégraphie étourdissante pendant que le gardien éraflait minutieusement le porche de son fort. Les puissants haut-parleurs crachèrent une musique rock assourdissante entraînant les joueurs dans un vaste tourbillon psychédélique. On aurait dit un immense kaléidoscope tournant à vive allure.

Il y avait tant de beauté dans cette fureur qu'elle me pénétra jusqu'aux entrailles.

Cette cadence frénétique prit fin abruptement lorsque le ténor à la voix de stentor s'avança sur la patinoire. L'homme tout vêtu de noir souleva la foule et sa voix tonitruante imposa le silence. Pendant qu'elle résonnait dans tout l'amphithéâtre, l'arbitre demeurait immobile au centre de la patinoire comme s'il avait été emprisonné dans un carcan rigide.

Au même moment, les joueurs alignés à leur ligne bleue bougeaient constamment. Ils remuaient leurs membres sans arrêt, soit par anxiété ou par un trop plein d'énergie, de sorte qu'on les croyait activés par des ficelles tirées par les fantômes blottis dans le grenier du Forum. Les joueurs avaient parfois des allures de marionnettes géantes.

Une fois le rituel terminé, on sentait dans cette foule une fébrilité qui poussait les joueurs à se surpasser.

Pour sentir cette atmosphère imprégnée de chaleur et d'affection dans le monde du hockey, il fallait contempler ce spectacle sur place. Pas un théâtre ne pouvait se vanter d'offrir une telle ambiance pour accueillir les acteurs d'un drame dont l'issue demeurait totalement inconnue. Ambiance qui décuplait lorsque les Bruins de Boston ou les Maple Leafs de Toronto mettaient les patins sur la patinoire du Forum.

Allergique à l'hymne canadien, Victor profita de ce prélude musical pour libérer sa vessie gorgée de houblon dans les urinoirs nauséabonds du vieil édifice.

La première période ne donna pas cependant les résultats escomptés. Les deux équipes jouaient sur les talons en attendant l'erreur de l'adversaire, au point que le jeu défensif avait l'effet d'un somnifère sur la foule. La crinière blonde du Démon vola peu au vent. On ne fait pas chanter des comptines à un ténor réputé.

La veille du match, Lafleur avait condamné la façon dont l'instructeur l'employait, le privant de donner libre cours à son immense talent.

— Prends Lafleur ! Ça fait trois ans que son *coach* le fait suer ! Ce gars-là est né pour compter des buts, pas pour en empêcher ! Pour être heureux et bien dans sa peau, l'homme doit accomplir ce qu'il est vraiment ! philosopha Victor entre deux gorgées de bière. Le musicien doit faire de la musique, le peintre doit peindre et le danseur danser !

— Et le compteur doit compter ! poursuivis-je d'un air moqueur.

— Exactement ! Et comme l'enseignant doit enseigner... selon ce qu'il est ! Pas comme on voudrait qu'il soit ! radota mon camarade en observant passionnément zigzaguer la vétuste resurfaceuse.

— Penses-tu que Lafleur pourrait changer d'équipe un jour s'il n'est pas plus heureux que ça ?

— Je n'en sais rien ! Mais, je sais par contre que dans ton cas, ça serait la meilleure chose qui pourrait t'arriver, répondit Victor en mangeant gloutonnement un maïs soufflé hypercalorique.

Mais pourquoi diable insistait-il encore pour que je coupe les ponts avec la directrice ? L'acharnement dont il faisait preuve commençait à me turlupiner drôlement.

— Tu crois réellement que je ne pourrai jamais m'entendre avec Constance Sainphard ?

— J'en suis persuadé ! baragouina Victor, les joues gonflées de maïs soufflé.

— Et pourquoi donc ? demandai-je en glissant le programme sous mon siège rouge.

— C'est comme ça ! On n'y peut rien ! C'est en dedans que ça se passe ! C'est viscéral ! Et ça ne date pas d'hier d'ailleurs ! postillonna-t-il grossièrement sur la tête d'un spectateur.

— Qu'est-ce que tu veux dire par là ? répliquai-je promptement en observant la rentrée des joueurs sur la patinoire.

À la vitesse où il se remplissait les joues, je compris que Victor n'était pas du tout intéressé à poursuivre la conversation. Je laissai l'écureuil s'empiffrer ridiculement et je portai plutôt mon attention au centre de la patinoire où l'arbitre venait de mettre la rondelle en jeu.

La période venait à peine de débuter que la foule scandait des « Guy ! Guy ! Guy ! » qui retentissaient aux quatre coins du Forum. Ce cri d'amour émanait surtout des sièges bleus. Le peuple désirait voir l'artiste s'exécuter. On pouvait même lire sur une pancarte que tenait une jeune admiratrice : « Laissez jouer Lafleur en paix ».

Or, nul ne sut quelle potion magique avait ingurgitée Lafleur durant l'entracte, mais l'on assista à un véritable feu d'artifice de son trio, qui amassa neuf points dans une victoire du Canadien. À notre grande satisfaction, le Démon blond marqua trois buts et provoqua une pluie de casquettes multicolores sur la patinoire.

Dès que la sirène fit entendre sa voix stridente, les masques tombèrent. Les forces du destin avaient agi. Monsieur Zamboni sortit des entrailles du Forum pour effacer à jamais les sillons d'une lutte âprement disputée, laver le sang des nobles chevaliers et noyer les larmes des vaincus.

En quittant l'enceinte, je jetai un dernier coup d'œil en direction de la passerelle où s'exhalait une épaisse fumée blanche. L'odeur du cigare fit tout à coup apparaître mon père. Je n'avais pas rêvé. J'avais bel et bien aperçu son fantôme me rappelant la promesse qu'il m'avait faite sur son lit de mort.

À l'extérieur du Forum, les badauds observaient les mines réjouies des amateurs qui sortaient en vitesse comme s'il y avait eu feu en la demeure. Le policier de faction agitait les bras comme un maestro. Il semblait curieusement emporté par la vague humaine qui déferlait dans la rue Sainte-Catherine, l'artère la plus animée à cet instant au Québec.

Lorsque nous traversâmes la rue Sainte-Catherine, le chauffeur de la ligne quinze s'extirpa difficilement de la fenêtre latérale de l'autobus pour s'enquérir du résultat de la partie. À entendre les passagers chanter les exploits de leur équipe, on ne pouvait douter que le convoi d'autobus qui descendait alors la Catherine vers l'est était l'un des plus gais du circuit.

Victor n'avait pas oublié le tuyau refilé par le concierge de l'école, de sorte qu'il était hors de question de terminer la soirée de façon aussi abrupte. Je trouvai qu'il était risqué, étant donné notre statut auprès des jeunes, de fréquenter un établissement où s'exhibaient de plantureuses demoiselles. Ce n'était pas facile de semer ce sacro-saint exemple qui me collait injustement aux fesses. Victor, quant à lui, semblait tout à fait à l'aise pour courir la prétentaine.

— Bah ! Ne t'en fais pas avec ça ! Ce n'est pas d'hier que d'honnêtes citoyens s'aventurent dans des lieux pas trop catholiques ! me souffla-t-il en se faufilant adroitement parmi les fêtards.

Sans crier gare, Victor s'arrêta brusquement et pointa son index velu vers l'est. À quelques coins de rues de là, j'appris que le théâtre Gayety avait accueilli, après la Seconde Guerre mondiale, la célèbre Lili St-Cyr.

L'effeuilleuse avait excité bien des notables de la ville en sortant nue de sa baignoire, enveloppée d'une mousse translucide, pour se rhabiller ensuite très lentement. Scandalisé par un tel numéro, le clergé avait fait des pieds et des mains pour conjurer la diablesse du cabaret, mais avait échoué lamentablement dans sa tentative.

— Faut croire que se rincer l'œil de temps en temps, c'est pas si grave que ça ! souligna Victor dans un ultime effort de déculpabilisation.

En face de la Taverne Toe Blake, le portier de La Boîte de punition nous tendit la main comme un mendiant, qu'il n'était pas question d'ignorer.

Nous parvînmes difficilement à nous frayer un chemin à travers un épais brouillard de fumée opaque jusqu'à la scène où une affriolante créature se trémoussait langoureusement.

La jeune demoiselle arborait avec ostentation le chandail rouge du Canadien de Montréal. Ce n'était plus le cœur des valeureux chevaliers sans peur et sans reproche qui battait sous ce noble chandail, mais une superbe poitrine qui invitait à la concupiscence. Des souliers blancs relevés de talons aiguilles donnaient à sa silhouette une forme longiligne. Une jarretière de dentelle blanche soutenait des bas tricolores moulés à des cuisses bien musclées.

— C'est là que le bât blesse ! ajouta Victor, pince-sans-rire.

Je ne portai pas trop d'attention à ce calembour incompréhensible.

Trente minutes auparavant, vingt cœurs en faisaient battre des milliers dans l'amphithéâtre; maintenant un seul faisait battre le mien si fort que je n'entendais plus la musique discordante qui jouait. Mon cœur se mit à faire du trampoline lorsque l'effeuilleuse se débarrassa de la laine tricolore. Son regard lascif ne me quitta plus. J'étais hypnotisé. Je me réveillai cependant brutalement lorsqu'elle disparut nue comme un ver derrière des rideaux de velours écarlate.

— As-tu déjà vu cette fille-là ? me demanda Victor en m'administrant un violent coup de coude.

— Non ! Jamais ! répondis-je en me frottant les côtes endolories.

— Pourtant, elle te zyeutait d'une drôle de façon !

— Elle doit sûrement me confondre avec un autre homme ! fis-je en hélant la serveuse.

Soudain, la lumière devint plus tamisée et les réflecteurs suspendus au plafond jetèrent sur la scène une lumière multicolore.

— Directement de Moscou ! Voici la voluptueuse et plantureuse Natacha ! annonça le présentateur, couvert d'une bijouterie de pacotille.

Une grande blonde élancée apparut affublée du chandail rouge de la Sainte Flanelle. Elle se déhanchait avec la souplesse d'un fauve et la grâce d'une diva. Ses yeux avaient le bleu des palais baroques de Leningrad et ses cheveux, le blond des blés de la steppe russe. Ce regard reflétait toutefois la peur et la détresse de l'animal traqué par les autorités qui la recherchaient activement.

La courbure de ses hanches me fit oublier rapidement ce court instant de compassion. Sa poitrine ferme et abondante donnait au chandail des formes que j'ignorais. Le fameux « CH », symbole de fierté et de courage, tombait mollement entre ses seins, comme s'il avait été suspendu au milieu d'une corde à linge débandée. Ses mamelons pointaient vers moi comme les bulbes dorés des cathédrales moscovites vers le ciel.

Victor nageait littéralement dans la béatitude tandis qu'à la table voisine dormait un vieux monsieur le menton enfoui dans sa barbe blanche. Il y a longtemps que ce chandail ne l'animait plus.

Sans m'en parler, Victor invita la belle Moscovite à se joindre à nous après son numéro ainsi que la danseuse précédente.

Mademoiselle Yakushev avait fait défection de la troupe du Bolchoï durant les Jeux Olympiques et s'était liée d'amitié avec Amanda, une jeune étudiante qui dansait pour payer ses études.

L'effeuilleuse slave détestait son travail, qu'elle trouvait avilissant, mais le métier rapportait beaucoup. Elle rêvait de faire carrière dans la danse aux États-Unis et d'y rejoindre son frère, qui aspirait à jouer un jour au hockey en Amérique du Nord.

Je saisis alors l'occasion pour vanter la qualité des joueurs russes, dont j'étais tombé sous le charme depuis la célèbre *Série du siècle.* Elle fut agréablement surprise de l'intérêt que je portais à l'endroit de ses compatriotes. J'espérais, comme tous les vrais mordus du Canadien, voir Tretiak arborer un jour le chandail tricolore.

Je n'étais cependant pas du tout fâché qu'il soit porté ce soir-là par l'une de ses compatriotes. Au contraire, je trouvais que ce chandail lui seyait à merveille. Ma gêne m'empêcha toutefois de le lui révéler.

— J'étais certaine qu'il te parlerait encore de hockey, confia Amanda à la jeune fille russe.

Son intervention me scia les deux jambes. Je n'avais pourtant jamais vu cette fille auparavant. Et je la vis encore moins lorsque le flash d'un appareil photo, venu de je ne sais où, m'aveugla durant quelques secondes.

— C'est ce que j'ai trouvé de mieux pour briser la glace, bredouillai-je en cherchant en vain le paparazzi en cavale.

Cette boutade arracha un sourire forcé aux bâillements de mon ami, de sorte que je compris qu'il était l'heure de quitter les lieux.

Les poupées gigognes me fascinaient. Mais cette *matriochka* en chair et en os m'avait envoûté au point d'en oublier l'heure.

— Vite, Clément ! Finis ton verre ! J'ai la première période ce matin, me baragouina Victor, la bouche ramollie par la bière.

À la sortie, l'annonceur glissa sa main dans les larges poches du paletot de Victor. Mon ami lui tendit ensuite une main au bout de laquelle surgit le visage épanoui de la reine Élizabeth II. Cette tractation nocturne piqua ma curiosité, mais je ne lui en parlai pas. Victor détestait qu'on fourre le nez dans ses affaires. Même si j'avais les idées pas mal floues, je me doutais néanmoins que c'était lui qui avait orchestré cette mise scène.

Cette incursion pour le moins téméraire dans ces lieux maudits pouvait nous coûter cher. Très cher même. J'ignore ce qu'aurait fait Icare à notre place, mais comment résister à la beauté d'un ange descendu du ciel quand, quelques heures plus tôt, vous avez croisé une goule en personne ?

Je rentrai sur la pointe des pieds en évitant comme un habile funambule les planches du parquet de chêne qui se lamentaient bruyamment.

Fin de la deuxième période

J'avais pris bonne note des conseils de Victor et, même si je n'avais pas les idées très claires, j'entendais les mettre en pratique dès mon retour au travail. Même que Geneviève ajouta son grain de sel.

— Fais attention de ne pas tomber dans son piège ! Je connais plusieurs personnes qui se sont perdues dans un travail peu exaltant, me confia-t-elle en pratiquant l'art du maquillage en roulant.

Je baissai le volume de la radio et accélérai brusquement afin de m'éloigner du jeune conducteur qui me collait dangereusement au derrière. Comme je craignais d'être embouti, mon regard quittait difficilement le rétroviseur. Mes oreilles par contre buvaient avidement les paroles de ma bien-aimée.

— N'oublie pas que tu travailles pour gagner ta vie ! Tu ne vis pas pour travailler ! C'est la vie qui vaut cher ! C'est la liberté ! C'est l'amour et le plaisir ! Comme tu as toujours carburé au plaisir, il n'y a donc aucune raison pour qu'il s'absente plus longtemps de ta classe. Sinon, tu peux toujours aller voir ailleurs ! Tu n'es pas obligé d'endurer cette femme plus longtemps, souligna Geneviève avant de descendre.

Après avoir joué de l'accélérateur et du frein durant de longues minutes, je garai enfin ma voiture sous la fenêtre de la directrice à travers laquelle se profilait sa silhouette démoniaque. Tapie constamment dans son bunker, elle ne connaissait pas la réalité des jeunes d'aujourd'hui comme elle ne voyait ni n'entendait ce qui se tramait dans la salle des enseignants.

Or, si elle était descendue tôt le matin dans la « chambre des joueurs », elle y aurait vu des cravates se dénouer ; des visages pâles et des yeux bouffis par l'alcool. Elle y aurait aussi entendu des larmes tomber avec fracas sur le parquet, des comptes à rebours entamés tôt dans la saison, et la fontaine de café couler à profusion pour réveiller les insomniaques. Quand on se bouche les oreilles et que l'on se ferme les yeux, on se coupe volontairement du monde qui nous entoure.

Je connaissais bien le monde des jeunes parce qu'il était aussi le mien. Nous partagions le même plaisir. Si je souhaitais ajouter du piquant à ma vie professionnelle et éviter la routine sclérosante, il me fallait absolument entretenir la flamme ludique sur laquelle un fort vent directif risquait de souffler à nouveau.

C'est donc avec ces idées stimulantes que j'arrêtai mon choix sur la pièce de théâtre *La soirée du fockey*, que les élèves devaient lire et jouer devant la classe avant le congé de Noël.

Comme j'avais dans mes classes plusieurs mordus de hockey qui rêvaient de faire carrière un jour dans la grande ligue, ces hockeyeurs en herbe s'identifièrent rapidement au personnage de l'œuvre théâtrale contraint de chausser les patins tout jeune pour satisfaire le rêve d'un père en manque de gloire personnelle.

Quelques-uns se reconnurent facilement dans ce personnage tombé en bas âge sous la botte de la dictature paternelle.

Mais, il n'y eut pas seulement les jeunes garçons qui se retrouvèrent dans cette pièce de théâtre.

De mon côté, je me revis au bar Le Tonneau d'or quelques jours auparavant en compagnie de mes confrères attablés devant une couple de bières à critiquer le rendement du Canadien. La Taverne de l'Hôtel impérial, lieu de l'action de l'œuvre théâtrale, s'avérait un fidèle miroir de la réalité québécoise.

Par bonheur, cette pièce ne ravit pas que les garçons.

Les jeunes filles de la classe montèrent rapidement aux barricades pour décrier, comme les femmes à la fin des années 1960, le comportement machiste de ces hommes tapis dans leur tanière loin de leurs responsabilités familiales.

Cette fuite, expliquai-je à mes élèves, cessa le jour où ces hommes immatures prirent enfin leurs responsabilités.

Les discussions entre les garçons et quelques filles délurées de la classe enflammèrent la marmite, qui chauffa un peu trop au goût de la directrice.

— J'aimerais que tu m'expliques la pertinence de faire lire cette pièce vulgaire à des jeunes. Cette lecture ne convient pas à une institution privée comme la nôtre. Les parents paient pour que nous éduquions leurs enfants à un niveau plus élevé que dans les écoles publiques, dit Constance Sainphard, s'indignant du sujet scabreux de la pièce.

— Le choix des livres est du ressort de l'enseignant. C'est d'ailleurs la seule liberté dont on peut jouir encore ! L'objectif est de faire lire aux élèves une pièce de théâtre québécoise pour qu'ils vivent des émotions à travers des personnages et des actions à une époque donnée, répliquai-je en lui fourrant le programme de français sous le nez.

— Pauvre Clément ! Tu crois vraiment que tu peux intéresser des jeunes au théâtre en leur présentant des œuvres aussi médiocres ?

— Il vaut mieux y aller par la bande ! répondis-je en lançant ce calembour naïf.

— Existe-t-il autre chose dans la vie pour toi que ce satané hockey ? demanda-t-elle en étirant les dernières syllabes comme un élastique tendu vers mon visage.

— Le hockey fait partie de notre culture depuis le début du siècle et, si l'on veut sonder l'âme de notre peuple, il faut lire la littérature écrite sur le sujet. N'oubliez pas que si la religion n'avait pas autant envahi nos vies durant la Grande Noirceur, le hockey aurait sûrement occupé moins d'espace dans le cœur des Québécois, ajoutai-je pour la convaincre.

— Mais tu dis vraiment n'importe quoi ! De toute façon, à quoi bon discuter ! Je crains que tu ne changes jamais ton fusil d'épaule et que tu restes toujours cet éternel petit garçon incapable de se passer de son jouet préféré. Prions pour que tu vieillisses un jour, termina la directrice en m'indiquant la porte.

Pour l'une des rares fois de ma vie, j'avais renié mon prénom, qui me conditionnait toujours à abdiquer devant l'autorité. Je me montrai peu complaisant. Est-ce que tous les Claude de ce monde claudiquent ? Pourquoi faudrait-il alors que tous les Clément soient indulgents et bienveillants ?

Même si ma décision enragea cette rombière, je ne tournai point casaque. J'étais fier de moi, surtout que le tribunal du temps me donna raison un matin glacial de décembre durant la prestation d'un jeune garçon dans la classe. Le verdict fut implacable.

— M… Monsieur… est-ce que… je peux… aller… me… chan… anger ? bafouilla Sébastien, visiblement tendu de jouer la comédie devant un public plutôt hostile.

Je prenais toujours sous mon aile les élèves bègues, car je comprenais fort bien la détresse qu'ils éprouvaient pendant les exposés oraux.

Sébastien était le souffre-douleur de la classe et je savais bien que certains loubards n'attendaient que son tour pour faire des gorges chaudes. Je devais être extrêmement vigilant et surveiller le moindre écart de conduite. Cette tête de Turc m'inspirait de la compassion et je voulais surtout éviter qu'on le tourne en dérision. La classe représente souvent un fidèle miroir de la société où les plus forts écrasent les plus faibles.

Mais, coup de théâtre dans la classe de français ce matin-là, dès que Sébastien ouvrit la bouche, tous restèrent ébahis et muets. Cet élève si gêné, si mal dans sa peau, si vulnérable dans cette jungle qu'est souvent la classe offrit une performance exemplaire. Il avait mis de côté le petit garçon chétif, qui pliait souvent l'échine sous les sarcasmes de ses camarades, pour incarner Gerry Picard, un jeune joueur de hockey poussé par des parents rêvant d'avoir une vedette dans la famille.

Le jeune comédien en herbe ne rata aucune réplique. Il sut allier le bon geste à la parole, chargée souvent d'une émotion poignante. Il possédait un talent pour émouvoir. Même les durs à cuire de la classe furent touchés par son jeu. Quelle révélation ce fut !

Il avait réussi à faire taire tous les crâneurs et hâbleurs de la classe. On pouvait facilement lire sur son visage les traits d'un vainqueur.

À la fin de sa performance, tous l'applaudirent et quelques-uns se levèrent même d'un bond. Je me joignis à eux sans réserve.

Je crois qu'à cet instant ma vue s'embrouilla. Je me raclai la gorge plusieurs fois et mis quelques secondes avant de commenter sa brillante prestation. Je lui donnai une note parfaite, qui provoqua un boucan si terrible que les murs en tremblèrent. L'apparition soudaine de Constance Sainphard dans la porte calma rapidement les esprits. Le plaisir engendrait toujours la suspicion dans cette institution. Quand on connaissait qui en tenait la barre…

« S'il y avait plus de ces moments magiques dans l'enseignement, il y aurait sûrement moins d'épuisement professionnel », me dis-je en ramassant mon porte-craie.

Au son du timbre, je restai seul assis quelques minutes au fond de la classe à savourer pleinement ce moment de bonheur. Je me trouvai bon. J'avais donné l'occasion à un jeune garçon de retrouver l'estime de soi. De se trouver bon, lui aussi. Le choix de la pièce avait été judicieux puisqu'il avait permis à un être timide d'incarner un personnage plus audacieux. J'avais donc eu raison de me faire confiance.

Tous les êtres humains devraient pouvoir entendre, ne serait-ce qu'une seule fois dans leur vie, la voix de l'annonceur qui hurle au micro : « Le but du Canadien compté par Sébastien Letarte, sans aide ! » Cet élève venait de connaître sa minute de gloire.

Cette nuit-là, je fis un drôle de rêve. Je n'enseignais plus. J'occupais dorénavant le siège du juge de buts derrière le filet de l'équipe visiteuse au Forum de Montréal. Lorsque j'appuyais sur le bouton, je déclenchais automatiquement la joie et j'illuminais comme par magie le cœur de milliers de spectateurs. J'étais au septième ciel ! La sonnerie retentissante du réveille-matin me plongea malheureusement dans un autre monde.

À mon arrivée à l'école, une note manuscrite dans mon pigeonnier me signalait l'urgence de rappeler une mère.

— Monsieur Belzile, je tiens à vous remercier personnellement pour ce que vous avez fait pour Sébastien. Je ne l'ai jamais vu revenir de l'école aussi heureux. Il s'imagine déjà faire carrière au théâtre ou au cinéma, me confia madame Letarte, visiblement touchée.

— À vrai dire, Madame, tout le mérite revient à Sébastien qui possède un talent fou pour jouer la comédie. Vous pouvez être très fière de votre garçon, ajoutai-je sans flagornerie.

Je reçus ces fleurs en toute humilité. Mes encouragements répétés avaient permis à Sébastien de croire en ses possibilités et de se construire de beaux rêves. Mais il avait surtout gagné le respect de ses pairs. C'est ce dont je me réjouissais le plus. Je savais que, désormais, il ne serait plus l'objet de sarcasmes.

Il ne pouvait exister de plus beau cadeau pour un enseignant que celui d'avoir participé à l'émergence d'un talent et à la réussite d'un élève. S'il ne devait pousser qu'une seule fleur à travers le sol aride et pierreux sur lequel j'enseignais, je n'aurais pas semé en vain.

Une classe où ne régnerait aucune passion ressemblerait à une mer étale. Immobile et plate. Sans la moindre vibration. Le moindre trémolo. L'enseignant doit provoquer ce vent de folie assez fort pour transporter les élèves sur des vagues sur lesquelles ils échafauderont leurs plus beaux rêves. N'était-ce pas ce qui existait de plus libérateur ?

Je réussis facilement à convaincre la mère de raconter à la directrice l'expérience salutaire qu'avait vécue son fils durant le cours de français. L'occasion était trop invitante pour ne pas faire à ma supérieure un petit croc-en-jambe.

Le message ne mit guère de temps à se rendre à bon port puisque les jours suivants Constance Sainphard m'évita comme la peste bubonique chaque fois qu'elle entendit le pas lourd de mes talons sur le parquet.

Elle ne put toutefois m'éviter bien longtemps, puisque tous les membres de la direction et du corps enseignant avaient été conviés à participer aux activités scolaires organisées par les élèves en aval du congé de Noël. Le kiosque monté par les élèves chargés de produire l'album des finissants attira aussitôt mon attention.

Les élèves demandaient aux enseignants de fouiller dans leurs souvenirs et de rapporter au retour du congé des fêtes une photo de leurs premières années du primaire. Un prix serait alors attribué à la fin de l'année à l'élève qui réussirait à démasquer le plus d'enseignants.

Je donnai mon nom avec la promesse de trouver durant la période des fêtes une photo de moi jeune écolier. La touche humoristique de cet événement plaisait énormément aux élèves. Cela rendait leurs professeurs plus humains. Comme si nos élèves n'avaient jamais pu imaginer une seconde que nous ayons déjà eu six ans.

Avant de quitter le kiosque, je jetai un regard furtif en direction de Constance Sainphard, qui me sembla fort soucieuse.

Entracte

Tout au début de la nouvelle année, je déposai mon vieil ami bourlingueur aux portes de l'aéroport de Mirabel, réalisant du même coup combien sa présence allait me manquer. Avant de nous séparer, Victor promit d'aller se recueillir sur la tombe de Nikos Kazantzaki dès qu'il foulerait la terre crétoise. Nous partagions souvent les mêmes lectures et ce cher Zorba avait animé plusieurs de nos conversations dans la salle des enseignants.

Dans le grand hall public, le malingre quinquagénaire me serra chaleureusement dans ses bras et me fredonna dans le tuyau de l'oreille le même disque usé :

— Mon petit doigt me dit que tes prochaines découvertes risquent de mettre le feu aux poudres ! Si j'étais à ta place, j'irais me faire voir ailleurs au plus sacrant !

— Tu n'en démords vraiment pas ? dis-je en me libérant vivement de son étreinte.

Comme à son habitude, Victor demeura muet comme une urne funéraire. Il déposa péniblement son havresac sur ses frêles épaules et se dirigea au comptoir d'enregistrement, heureux comme un boy-scout.

— À bon entendeur, salut ! hurla Victor en agitant le bras comme un essuie-glace.

Lorsque son énorme sac à dos disparut totalement de ma vue, je regagnai rapidement ma voiture garée illégalement. Je mis quelque temps avant de démarrer. Qu'avait-il apporté qui soit si lourd dans ce fameux havresac ?

Le jour de l'Immaculée Conception, le comité social de l'école avait organisé une fête pour souligner le départ de Victor vers d'autres cieux. Il reçut alors comme présent un havresac bardé de plusieurs pochettes.

Fin causeur et de commerce agréable, ses récits de voyages lui attiraient toujours une clientèle féminine. Je me rappelle cependant que durant cette soirée Victor passa de longs moments en compagnie de Camille Brillon. Fait plutôt inhabituel, car sauf d'avoir jeté leurs frocs aux orties, rien d'autre ne les unissait.

Or, ce soir-là, Camille Brillon, ordinairement triste comme un bonnet de nuit, devint, après plusieurs verres de vin, gaie comme un pinson. L'alcool lui avait délié la langue au point qu'elle passa de longues minutes la bouche vissée aux oreilles de Victor.

Cette camaraderie inhabituelle attira à mon ami quelques remarques acerbes lancées par des confrères un peu éméchés. Que lui avait-elle chuchoté de si dévastateur au point qu'il en ait renversé son verre ? Avait-elle voulu se venger de son amie Constance avec qui elle était à couteaux tirés depuis quelques semaines ?

Personne ne sut ce que cette vieille fille lui avait confié. Victor avait glissé dans son havresac un secret lourd à porter.

Soudain, le klaxon criard d'un vieux taxi me sortit brutalement de ma rêverie.

Cette soirée d'adieu me hanta l'esprit durant le chemin de retour. Malin comme un singe, Victor aurait-il réussi à lui soutirer des informations sur sa vie monastique ? Camille avait-elle étudié au même couvent que son amie Constance, comme certains le prétendaient ?

Dans le secret des dieux, mon ami ne m'aurait jamais murmuré ces paroles avant de partir s'il n'avait aperçu cette ombre au tableau, que je m'apprêtais à découvrir.

En remisant les décorations de Noël au fond du placard, j'avais remarqué la boîte de carton remise par mon oncle

Charles le soir de mes noces. Je n'avais jamais osé depuis m'aventurer dans ce passé ténébreux au fond duquel stagnaient mille et un souvenirs de mon enfance.

Je descendis alors de l'étagère poussiéreuse la boîte déformée par le temps et l'humidité de la cave. Je ne savais trop si c'était le poids des objets ou mes souvenirs qui rendaient la charge si lourde à manipuler. Je pris une profonde inspiration et plongeai mes mains tremblantes à l'intérieur.

J'en sortis difficilement un album de photos fossilisé, que je parcourus aussitôt. Mon regard se posa soudainement sur une photo sépia de ma classe de première année.

Je me reconnus debout devant le tableau noir sur lequel était écrit en lettres majuscules soigneusement calligraphiées : « PARLE ET AGIS FRANCHEMENT ». Tous les élèves arboraient un veston bleu marine au-devant duquel, sur la petite poche près du cœur, étaient cousues les lettres « SP » (Sœurs de la Providence).

Devant moi, les élèves étaient assis, bras croisés, sur une petite chaise droite, les genoux bien soudés sous les ferrures de leur pupitre. Je réussis malgré toutes ces années à mettre des noms sur des visages que je n'avais pas vus depuis des lunes.

En balayant la photo d'un regard scrutateur, mon visage se rembrunit et mes pulsations cardiaques accélérèrent anormalement. Je sentis le sang bouillonner dans mes veines. Tout juste à ma droite se tenait mon institutrice affublée de sa longue robe noire et de sa cornette blanche. Sur sa poitrine pendait un crucifix de bois et autour de sa fine taille s'enroulait un long chapelet tombant jusqu'à ses mollets. Le visage sombre de sœur Denise-des-Anges ressemblait à un gros nuage annonciateur d'un orage menaçant.

Mon cœur faisait le désordonné et cognait contre ma poitrine comme un oiseau fou en cage. Je dus le calmer de crainte qu'il ne s'échappât.

Mes mains devinrent si moites que je dus les assécher plusieurs fois sur mon pantalon.

« J'ai dû mal voir », me dis-je en examinant son visage de plus près.

Je me frottai les yeux fermement, craignant de vivre le pire des cauchemars.

Hallucinant !

J'écarquillai à nouveau les yeux. En la scrutant de plus près, je découvris avec horreur et stupéfaction les traits rajeunis de… Constance Sainphard sur le visage de la jeune sœur.

Les lèvres pincées de la jeune institutrice soulevaient légèrement son menton tout juste pour lui donner cette allure impériale qui me terrorisait tant.

Derrière le sourire affecté qu'elle esquissait se dissimulait un profond mépris pour les garçons. Rien n'avait changé depuis. Toujours ce regard froid et hautain qui paralyse et crée cette distance imposant immédiatement le respect ou tout simplement la peur.

Je remis la boîte, bizarrement plus légère, près d'une plus petite toute ficelée comme un saucisson. La statuette de tante Mignonne reposait toujours en paix.

Lorsque j'apparus dans le salon, les traits de mon visage me trahirent facilement.

— As-tu oublié ton sang au sous-sol ? me demanda Geneviève en posant son roman sur ses genoux.

Après quelques minutes, je parvins à dénouer le nœud au fond de ma gorge m'empêchant de bien respirer.

— Tiens ! Regarde ça ! lui dis-je en exhibant la photo.

— Où est-ce que tu as trouvé ça ?

— Au sous-sol dans une vieille boîte ! Regarde plutôt où je suis !

— C'est facile ! Tu es juste à côté de la sœur ! fit-elle en me pointant de son index.

— C'est juste ! Et l'armoire derrière moi renferme mes cartes de hockey ! ajoutai-je en serrant les dents.

— Ne me dis pas que c'est la raison pour laquelle tu es si pâlot? ricana Geneviève en rouvrant son roman.

— Pas tout à fait! Il y a pire! Bien pire! Es-tu bien assise? Tiens-toi bien! Cette sœur est... la directrice de l'école La Résurrection! annonçai-je en faisant virevolter la photo dans les airs.

— Es-tu en train de perdre le nord?

— Cette sœur s'appelle Constance Sainphard! vociférai-je en me tenant la tête.

— C'est impossible voyons! Tu te trompes!

— Je saurais la reconnaître parmi un million de personnes! Il n'y en a qu'une pour avoir cette maudite face d'enterrement là!

— Qu'est-ce que tu vas faire? me demanda-t-elle en récupérant la photo sur le plancher.

— Rien! Qu'est-ce que tu veux que je fasse?

— Penses-tu qu'elle t'a reconnu? déclara-t-elle en zyeutant scrupuleusement la photographie.

— C'est fort possible! Ça expliquerait en tous les cas son comportement hostile à mon égard! fulminai-je en lui arrachant des mains la précieuse photo.

Je compris sans difficulté que Camille, au cours de la soirée offerte en l'honneur de Victor, avait sciemment levé le voile sur le passé obscur de son amie Constance. Je ne saisissais pas toutefois pourquoi cet aveu avait ébranlé mon confrère au point de souhaiter impérieusement mon exil de l'école.

Il me sous-estimait, le pauvre. Il croyait sûrement que cette nouvelle m'aurait terrassé brutalement et que je n'aurais pu me relever. Aurait-il oublié les leçons qu'il me donnait lorsqu'il m'apprenait à patiner sur la glace de l'orphelinat?

Je me sentais bien au contraire d'attaque et j'avais bien hâte de renouer avec un passé dont je gardais toujours, au fond de mon cœur, de bien mauvais souvenirs.

Le lendemain matin, les enfants prirent un malin plaisir à essayer de me trouver parmi les élèves de première année.

Catherine, le bout du nez maculé de confitures aux fraises, s'amusa à se moquer de mes oreilles décollées tandis que Nicolas ne put croire que j'aie été aussi petit.

— Regarde, Nicolas, l'armoire derrière moi a déjà renfermé mon plus grand trésor !

— C'était quoi le trésor ?

— Quand j'avais exactement ton âge, j'avais une très belle collection de cartes de hockey. Un jour, la sœur que tu vois sur la photo me les a volées et les a déposées ensuite dans cette grosse armoire, avouai-je en administrant une violente chiquenaude sur la tête de la sœur.

— Sont encore là, tes cartes ? s'enquit mon fils candidement.

— Sûrement pas ! Mais, je connais quelqu'un qui a peut-être une petite idée d'où elles se trouvent par exemple, répondis-je en glissant la photo dans la poche de mon veston.

Il était encore trop tôt pour m'en enquérir. Plusieurs questions me trottaient encore dans la tête.

Se souvenait-elle d'un petit Clément Belzile ? Si oui, était-ce possible qu'elle ait encore en sa possession les cartes dont elle m'avait dépouillé ?

Ce qui me tourmentait le plus l'esprit par contre, c'était de connaître les raisons pour lesquelles madame Sainphard avait résilié ses vœux. Aurait-elle commis un acte répréhensible ? Je ne savais trop, mais je ne l'imaginais pas sans tache. Cette femme m'inspirait la méfiance, mais pas au point de la fuir comme la peste.

Comme une violente bourrasque balayant l'orage, ces questions disparurent dès que j'allumai le téléviseur pour suivre la rencontre entre le Canadien et les Flyers.

Je demeurai avachi sur le canapé du salon toute la soirée, concentré à suivre intensément des yeux une petite rondelle noire qui virevoltait tous azimuts. Les visiteurs essayèrent tant bien que mal d'intimider le Canadien, mais ce dernier infligea une sévère correction aux hooligans sur patins. Le jeu fut d'une telle intensité dramatique que jamais le mauvais temps sévissant la veille dans ma tête ne réapparut pour faire ombrage à ce plaisir éphémère.

Regarder la rencontre de hockey avait été comme jeter mes idées noires dans la laveuse durant près de trois heures. La publicité mentait honteusement au peuple. C'est la Sainte Flanelle qui lavait le plus blanc en ville… décrassant mieux que l'eau de Javel! «Ô Sainte Flanelle, lavez pour nous!»

Malheureusement, le Tricolore ne jouait pas tous les jours, de sorte que la crasse accumulée par le souvenir impérissable de sœur Denise-des-Anges s'incrusta à nouveau dans les plis de mon cerveau.

Cette sinistre image de mes six ans me hanta durant toute la période des fêtes si bien qu'elle me fit perdre le sommeil. J'étais obsédé par une seule et même idée: qu'avait fait cette sœur quinze ans auparavant pour qu'on l'ait chassée de la congrégation religieuse?

Ce matin-là, j'étais beaucoup plus préoccupé de la piètre image réfléchie par la glace que de la manchette sportive de *La Presse*. La nouvelle rapportait l'idée émise par Jean-Claude Tremblay, le magicien de la ligne bleue, de présenter une rencontre Canadiens-Nordiques sur une glace naturelle au Stade olympique.

Mon teint avait perdu depuis longtemps sa couleur estivale et j'avais les traits tirés par des insomnies fréquentes. Il m'arrivait de plus en plus souvent de me réveiller en pleine nuit en pensant au régime de terreur auquel les Sœurs de la Providence m'avaient soumis durant mon long séjour au Jardin de l'Enfance.

La résurrection inopinée de sœur Denise-des-Anges n'était pas étrangère aux nuages noirs qui obscurcissaient mes pensées.

En ce début d'année, en nouant ma cravate devant la glace, j'aperçus avec stupéfaction des cheveux qui commençaient à perdre leur lustre d'antan au détriment de l'envahisseur blanc. Ma vie aurait dû se passer sur la glace. Les chocs y auraient sûrement été moins violents.

Je repris donc le collier le jour des Rois, mais non sans une certaine appréhension. L'absence de Victor provoqua un vide immense dans la salle des enseignants tandis que la présence de Camille Brillon à mes côtés m'enquiquina plus que d'habitude.

Je ne savais trop précisément ce que Camille avait soufflé à l'oreille de Victor, mais comme la relation intime avec son amie Constance battait dangereusement de l'aile j'en déduisis, à tort ou à raison, qu'elle avait sorti un cadavre de son placard pour se venger du mauvais traitement dont elle se croyait victime. Comme certaines jeunes enseignantes bénéficiaient de nombreux privilèges auprès de la directrice, grâce à leur charme et non à leur compétence, il était permis de supposer que la jalousie lui avait affreusement rongé le cœur.

Je ne pouvais que me réjouir de ce mélodrame, car cela signifiait désormais qu'elle ne médirait plus de son voisin. De plus, cela me donnait les coudées franches durant mes cours.

Or, je n'avais pas aussitôt mis la clé dans la serrure de ma classe qu'un élève me héla au bout du corridor.

— Monsieur Belzile ! Monsieur Belzile ! Avez-vous apporté votre photo mystère pour l'album des finissants ? accourut le jeune responsable à bout de souffle.

Je l'invitai à s'asseoir avant le début du cours et sortis la photographie de ma mallette.

— La dame avec la robe noire me dit quelque chose ! Je connais cette femme-là ! affirma-t-il en pointant la sœur en question.

Il s'approcha de la photo et l'examina attentivement.

— Attendez un peu ! Mais oui ! Je l'ai ! C'est facile ! Ça ne fait plus aucun doute maintenant ! Cette bouche pincée, ce nez pointu et ce regard cruel me rappellent quelqu'un... C'est bien la directrice de l'école ! lança-t-il, les bras levés au ciel.

— En es-tu certain?

— J'ai jamais été aussi sûr que ça! Mais, c'est vous à côté d'elle avec les oreilles décollées? s'enquit le jeune homme, tout à coup secoué d'un rire inextinguible.

J'acquiesçai d'un lent mouvement de la tête.

— Évidemment tu peux découper la photo et enlever la sœur du décor! J'aimerais par contre que tu conserves la grosse armoire en arrière-plan, ajoutai-je en lui donnant la photographie.

Je pris les quelques minutes qui restaient avant le début du cours pour lui raconter les souvenirs associés à ce meuble ancestral.

— Pensez-vous qu'elle les a encore? s'enquit le jeune homme, intéressé.

— Non! C'est impossible! Ça prendrait quasiment un miracle... et les miracles... ça fait longtemps que j'ai cessé d'y croire! répondis-je en levant les yeux vers le crucifix.

— Vous avez tort, Monsieur Belzile. L'an passé, le prof de maths m'a dit que ça prendrait un miracle pour que je réussisse mon examen de fin d'année. Et vous savez quoi? J'ai passé haut la main! Vous voyez qu'il ne faut jamais désespérer! Auriez-vous perdu la foi par hasard? me demanda-t-il en désignant la croix au-dessus de la porte.

— J'ai trouvé quelque chose de mieux!

— Au fond, ça doit bien revenir au même! Toutes les religions se ressemblent, n'est-ce pas?

— Sûrement! L'important, c'est d'y croire! Jusqu'à ce jour la Sainte Flanelle m'a bien servi! C'est ce qui me permet encore de m'accrocher!

— Vous accrocher à quoi?

— À mon plus grand rêve!

— Celui de retrouver vos cartes dans l'armoire? me demanda-t-il avec un sourire complice.

— Non! répondis-je du tac au tac.

Il saisit la photographie et la regarda attentivement en dodelinant de la tête. Il la glissa ensuite dans son sac d'école.

— Est-ce que vous lui en voulez toujours, Monsieur?

Mon statut m'imposa le silence.

Il quitta la classe en me regardant bizarrement. Il sut bien lire dans mon regard tout le ressentiment que j'éprouvais envers la directrice.

La nouvelle se propagea à une telle vitesse que sœur Denise-des-Anges se retrouva au cœur de toutes les conversations de la salle des enseignants. Ça piaulait fort dans le poulailler! Tous parurent étonnés, sauf Camille Brillon qui laissait glisser, mine de rien, son stylo rouge sur les copies de ses élèves, se soustrayant ainsi aux regards curieux posés sur elle.

— As-tu une petite idée pourquoi notre directrice a quitté la communauté? demanda Napoléon Branconnier sans faire dans la dentelle.

Un silence inquiétant chassa soudainement le commérage de la salle. Camille demeura toutefois muette comme une carpe et s'activa davantage à sa correction.

Après quelques secondes, la salle redevint un maelström infernal.

Pourquoi Camille Brillon refusait-elle de répondre? Pourtant cette femme en savait plus que quiconque dans cette école sur le passé tumultueux de la directrice, qui se déguisa en courant d'air. *Big Sister* avait rentré ses griffes pour le plus grand bien de tous. Elle demeura cloîtrée dans son bureau les semaines suivantes, esquivant ainsi les regards réprobateurs.

Contre toute attente, le vent avait tourné. Je me sentis tout d'un coup renaître. Ma peur d'être constamment pris en défaut s'estompa comme par enchantement. Je respirais plus librement et l'air qui circulait dans ma classe m'apparut moins vicié. J'étais libéré d'un poids énorme: *Big Sister* ne regardait plus par le hublot de ma porte de classe.

Ainsi, durant le battement précédant le premier cours du lundi matin, mon bureau fut momentanément pris d'assaut par une horde de fanatiques. La victoire écrasante de la Sainte Flanelle contre de sérieux aspirants aux grands honneurs avait survolté les garçons. Ce triomphe les avait transportés s'imaginant en train de festoyer dans la rue Sainte-Catherine.

Mais, quand le cours débutait, je devais les ramener rapidement sur terre. Ce qui n'était pas une mince tâche. Le plus difficile étant de le demeurer aussi, car j'étais, comme eux, très affecté par le manque de lumière durant cette période de l'année. Le royaume du calcium grugeait à petit feu toute notre énergie et la Sainte Flanelle représentait ni plus ni moins ce soleil autour duquel tournait notre vie.

Or, pour oublier l'hiver qui s'éternisait inexorablement et égayer le cœur des demoiselles de la classe, j'avais découvert une façon des plus originales de fêter la Saint-Valentin, trait d'union subtil entre l'hiver et le printemps.

Les élèves eurent exceptionnellement la permission durant cette fête de l'amour de troquer les couleurs sombres de l'uniforme de l'école pour celles de l'amour et de la passion. Comme le rouge était à l'honneur ce jour-là, je sautai sur l'occasion pour expliquer la règle de grammaire des adjectifs de couleur. Je me croisais les doigts pour que ce cours de grammaire ne fasse pas long feu comme le dernier.

Les élèves se vêtirent d'une garde-robe très habillée afin d'attirer le regard de l'adonis tapi au fond de la classe ou de la belle blonde aux yeux océaniques qui faisaient voyager les garçons loin du cours de catéchèse.

Tailleur écarlate, ceinture coquelicot, foulard vermeil, robe corail et jupe carmin pour elle ; chemise rouge vin, cravate rouge brique, débardeur rouge cerise, nœud papillon rouge pompier et chandail rouge sang pour lui.

Pascal Jomphe eut l'idée, fort pertinente d'ailleurs, de porter le chandail rouge de la Sainte Flanelle au dos duquel était cousu le nom de « Lafleur ». Cette fleur m'était plus destinée qu'aux jeunes filles de la classe peu attirées par sa figure ravagée de pustules prêtes à exploser. Taciturne de nature, il avait trouvé une façon simple de s'adresser à mon cœur.

Je lui soufflai à l'oreille qu'il portait le plus beau rouge de la classe. Son visage se maria instantanément à la couleur de ses cheveux. Je lui remis subtilement une fleur de sable qu'il s'empressa de camoufler à l'intérieur de son coffre à crayons.

Geste que je répétai auprès de toutes les valentines de la classe durant l'exercice grammatical.

Je secouais légèrement le fragile coquillage comme une salière et saupoudrais leurs copies d'une fine pluie de sable blond. Un peu de plage dans les livres scolaires ensoleilla cette journée hivernale et ravit les cœurs des amoureux.

Les jeunes filles parurent un peu gênées de recevoir un tel présent de ma part ; les garçons, quant à eux, crièrent à l'injustice. Injustice que je réparai aussitôt.

Pendant que les élèves admiraient leur fleur de sable, je plongeai mon regard au fond du seau multicolore dans lequel je les avais transportées et me retrouvai tout à coup dans les hautes dunes madeliniennes.

Soudain, un claquement de doigts incongru me sortit brusquement de ma rêverie.

Après quelques secondes, en enjambant les sacs d'école comme un sauteur de haies, je me dirigeai vers l'élève qui m'avait ainsi appelé. Je me penchai pour écouter sa demande et posai délicatement ma main sur son épaule où mes doigts effleurèrent par inadvertance la fine bretelle de son soutien-gorge.

— Enlève tes mains de sur moi ! vociféra Joëlle, rouge de colère.

— Mais qu'est-ce qui te prend ? répliquai-je vivement en me dressant, droit comme un piquet.

Sa désinvolture me déculotta au point que je n'eus d'autre alternative que celle de l'expulser, même si je savais que ma décision me jetterait dans la gueule du loup. Je la sommai de se rendre immédiatement au bureau de la directrice.

Cet incident inopiné créa une vive commotion dans la classe et me décontenança le reste de l'heure. Il arrivait quelquefois dans une classe qu'un orage imprévu assombrisse la journée. Le joyeux fleuriste maritime n'avait plus tellement le cœur à la fête.

Au son du timbre, je filai en direction du bureau de Constance Sainphard. L'insolence de la jeune fille m'y obligea : trente-trois paires d'yeux avaient observé en silence ma réaction. Il en allait de ma crédibilité et de ma survie en ce territoire parfois miné.

Par l'entrebâillement de la porte, j'aperçus le dos de Joëlle s'agiter avec détresse dans les bras de la directrice. L'effusion manifestée à son endroit m'apparut fort inconvenante sans être néanmoins surprenante. La jeune fille lui tendit son coquillage. La directrice l'examina et le déposa ensuite au fond d'un tiroir.

Cette femme pourtant dépourvue de tous sentiments démontra une telle empathie envers Joëlle que cette dernière sortit du bureau les yeux complètement asséchés et un sourire goguenard suspendu à ses lèvres.

Avant que la directrice ne sorte à son tour de son bureau, je rebroussai chemin et m'engouffrai dans la salle de toilettes des garçons. Quand le bruit de ses pas se perdit dans le long corridor, je sortis en vitesse, mais non sans avoir préalablement remarqué sur les murs des W.-C. une inscription manuscrite au-dessus d'un graffiti obscène qui me laissa bouche bée.

Avant de quitter les lieux, je m'assurai que le concierge de l'école lave au plus vite ma réputation.

Début de la troisième période

La trêve cessa lorsque la directrice me convoqua impérieusement à son bureau. Je ne l'avais pas croisée depuis fort longtemps et remarquai qu'elle avait les traits très tirés par un manque de sommeil évident.

Pourquoi la résurrection de sœur Denise-des-Anges l'avait-elle autant ébranlée ? Il n'y avait pourtant rien de déshonorant à laisser tomber l'habit. À moins, comme je le soupçonnais, de vouloir cacher ce dont on est honteux. Pour moi, son long repli et son profond silence dans sa casemate la rendaient coupable. Mais coupable de quoi ? Pourquoi était-elle demeurée si longtemps sur la voie d'évitement ? Craignait-elle une collision fatale ?

L'heure de l'affrontement avait sonné. Je me présentai en territoire ennemi comme une équipe avec l'avantage numérique : confiant et assuré de marquer un point important.

— Joëlle m'a donné les raisons pour lesquelles tu l'avais expulsée de ton cours, me lança-t-elle sans me saluer, sans m'inviter à m'asseoir.

Les larmes aux yeux, la jeune demoiselle lui avait raconté qu'elle avait senti mon regard plonger à l'intérieur de son corsage. Lorsque ma main chaude s'était posée sur son épaule, elle avait ressenti dans sa tête un violent raz de marée. À l'entendre, aussi dévastateur que celui qui anéantit la civilisation minoenne.

En l'espace d'une seconde, ma réputation avait basculé et j'étais devenu le plus pervers des individus. Il y avait dans ce spectacle, brillamment orchestré, une mise en scène des plus malveillantes.

— Écoutez ! J'ai posé ce geste des centaines de fois depuis que j'enseigne. C'est ma façon d'agir auprès des élèves. Je le fais autant avec les gars que les filles. Mon geste n'avait rien de sensuel. J'ai mis ma main sur son épaule pour la réconforter, car elle semblait visiblement désemparée durant l'exercice de grammaire. Il serait très pernicieux d'y voir autre chose, *ma sœur*, affirmai-je en appuyant fortement sur ces derniers mots.

— Je t'interdis de m'appeler comme ça ! s'offusqua-t-elle en frappant violemment sur son bureau.

— Mais… n'est-ce pas ce que vous avez été dans une autre vie ? répliquai-je avec un sourire narquois.

— Tu n'aurais jamais dû déterrer cette affaire-là ! Tu risques de te brûler, déclara-t-elle sur un ton menaçant.

— Ça ressemble à une mise en garde comme sur les boîtes de médicaments !

— Exactement ! Et la pilule risque d'être pas mal dure à avaler !

— Pourquoi donc ? demandai-je en souriant.

— Ça ne donne rien de déterrer les morts ! Laisse-les où ils sont ! Ils ne font de mal à personne ! répondit Constance Sainphard, furieuse.

— Moi, je n'ai pas oublié le passé ! dis-je en la dardant d'un regard nourri de ressentiments.

— Moi, oui ! rétorqua furieusement la directrice.

J'appris au fil de notre conversation qu'elle m'avait reconnu dès le premier jour où j'avais mis les pieds dans son bureau. Pour s'en assurer, elle avait fouillé, le soir même, dans ses souvenirs et avait trouvé la liste des élèves de l'année scolaire 1953.

— Non ! Je ne t'ai pas oublié, Clément ! D'ailleurs, comment aurais-je pu oublier le petit garnement qui faillit m'arracher un œil avec son bâton de hockey dans la cour d'école, me souffla-t-elle, vindicative.

— Est-ce la véritable raison de votre mépris à mon endroit? demandai-je en fronçant les sourcils.

Elle baissa la tête et ne répondit rien. Elle ajusta ses lunettes sur le bout de son nez effilé, se versa un verre d'eau et ouvrit le tiroir de son bureau au fond duquel elle sortit une enveloppe oblitérée du mois de décembre.

— J'ai reçu la visite du concierge tôt ce matin. Il m'a appris des nouvelles pas mal intéressantes à ton sujet, me confia-t-elle en ouvrant lentement l'enveloppe.

Que j'étais bête et naïf! Réjean Lauzon, yeux et oreilles de l'école, avait colporté ce qu'il avait lu sur les murs des toilettes avant de faire disparaître le graffiti. Les nouvelles circulaient plus vite que les rivières dans cette boîte et étaient vite détournées à la faveur de celle qui dirigeait le courant.

— Il n'y a rien qui prouve que j'y suis réellement allé, affirmai-je d'un air amusé.

— Ah non! Et ça? fit-elle en exhibant une photographie tirée de l'enveloppe.

Je faillis m'étouffer net. Elle lança la photo sur son bureau où je la récupérai d'un geste vif. C'était bel et bien moi en compagnie de Victor ainsi que deux mignonnes danseuses dans leur plus simple appareil. Je pris quand même quelques secondes pour admirer ce magnifique tableau avant qu'un raclement de gorge me ramène sur terre.

— Cette photo a été prise à notre insu et ne respecte pas notre vie privée. C'est une atteinte directe à notre honneur et à notre réputation. De plus, c'est une violation de la Charte des droits et libertés de la personne. Je poursuivrai celui qui vous a envoyé cette photo, vociférai-je en lui retournant la photo, mais non sans avoir reluqué les bas tricolores des deux jolies effeuilleuses.

— Celui qui me l'a envoyée n'est pas nécessairement celui qui a pris la photo. Regarde donc au dos de la photo, tu risques peut-être d'abandonner l'idée d'une poursuite, souligna-t-elle en se basculant légèrement sur son fauteuil.

Monsieur Maurice Soulard, président du comité de parents de l'école La Résurrection.

Je tenais à vous remercier pour la belle soirée que nous avons passée, mon collègue et moi, au Forum de Montréal. Nous avons terminé cette soirée en compagnie de deux jolies partisanes. J'ai pensé que ça vous plairait de faire leur connaissance !

Victor Potvin

— Avec des amis comme ça, pas besoin d'ennemis ! N'est-ce pas ?

— C'est impossible ! Victor n'a pu faire ça ! Impossible ! Impossible ! répétai-je en dodelinant de la tête.

— C'est pourtant son écriture ! Tu ne peux pas le nier ! glissa-t-elle avec un sourire vainqueur.

J'étais entré dans ce bureau avec l'avantage numérique. Cette nouvelle inopinée me fit l'effet d'avoir marqué un but dans mon propre filet.

— C'est ce qui m'embête le plus ! Je demeure toutefois persuadé que vous avez tout comploté avec le président pour me piéger, affirmai-je, les dents serrées.

Constance Sainphard demeura imperturbable. Elle reprit la photo en esquissant un air dédaigneux et la glissa dans l'enveloppe. Elle la déposa ensuite dans le tiroir, en extirpant du même coup le coquillage que lui avait remis Joëlle la veille.

— C'est quoi l'idée de donner des fleurs de sable à des jeunes filles le jour de la Saint-Valentin ? Quelles faveurs cherches-tu à obtenir ? Je te conseille fortement à l'avenir de garder tes mains dans tes poches ! C'est plus prudent ! Surtout quand on sait où tu passes tes soirées ! Quelle honte pour notre école ! soupira-t-elle en brisant le coquillage comme un biscuit sec.

J'allais de Charybde en Scylla. Je me sentais dériver comme un bateau en perdition.

— Ton comportement est indigne d'un enseignant qui œuvre dans cette école. Le comité de parents doit se réunir prochainement et j'ai bien peur que ton cas soit à l'ordre du jour. Ça risque de mal tourner ! conclut-elle en m'adressant un sourire triomphant.

Ce comité fantoche ne m'effrayait pas. Je pouvais dormir sur mes deux oreilles : le syndicat veillait au grain.

— Je ne crains rien ! Je n'ai commis aucun crime et ma vie privée ne regarde que moi ! plaidai-je comme un disciple de Thémis.

Constance Sainphard haussa les épaules et esquissa une vilaine grimace traduisant avec justesse son estime pour moi.

— Tout jeune, tu passais ton temps à jouer avec tes petites cartes de hockey. Aujourd'hui, tu t'amuses avec des petits coquillages. Pauvre Clément, j'ai bien peur que tu ne vieillisses jamais ! affirma-t-elle en se joignant les mains.

— Comme je n'ai pas vieilli, pourrais-je ravoir les cartes que vous m'avez volées ? Mon fils et moi serions heureux de nous amuser avec ces cartes qui valent leur pesant d'or aujourd'hui, répliquai-je aussitôt pour lui démontrer que je n'avais pas oublié le passé.

Un long soupir, des yeux levés vers le ciel et un index rigide pointé en direction de la porte semèrent le plus grand doute dans ma tête.

Dans l'embrasure de la porte, je m'arrêtai et m'appuyai nonchalamment contre le cadre.

— Vous qui semblez tout connaître, saviez-vous que madame Gérard Belzile était ma mère adoptive ?

Elle ferma les yeux en hochant lentement la tête.

— Qui vous l'avait dit ? demandai-je, impatient.

— Elle-même ! Mais pourquoi veux-tu savoir ça ? dit-elle, visiblement contrariée.

— Comme ça ! Pour rien ! Sachez qu'il est plus important de retrouver ma mère que des petites cartes insignifiantes, avouai-je, la gorge serrée.

— Tant mieux ! Maintenant ferme la porte ! J'ai beaucoup de travail et je ne veux pas être dérangée, m'ordonna-t-elle en ouvrant un dossier.

Autant de méchanceté dans un seul corps de femme tenait du prodige. La bête avait temporairement repris du poil.

Je claquai la porte si furieusement que les cadres sur le mur valsèrent durant quelques secondes.

Au mitan de la troisième période

Je me vautrai sur le canapé moelleux du salon pour écouter religieusement le troisième concerto pour violon de Mozart. Impossible de ne pas être touché par cette musique attendrissante, à moins d'avoir le cœur complètement desséché. Il régnait dans les œuvres du compositeur autrichien un sentiment de sécurité semblable à celui de la présence rassurante d'une mère.

Ces airs joyeux ne manquaient jamais de me calmer durant les moments de grandes bourrasques. Au deuxième mouvement, mélancolique et tendre à souhait, je retrouvai un sentiment de bien-être qui me surprit agréablement au point d'oublier les idées sombres nourries quelques heures plus tôt envers cette sœur maudite.

Les derniers moments vécus avaient été fertiles en émotions et en rebondissements de tout acabit. En peu de temps, j'avais perdu toute ma superbe aux mains de ma pire ennemie qui me tenait désormais la dragée plus haute que jamais. Mais la partie n'était pas perdue pour autant. Je savais que je pouvais remonter la pente. La Sainte Flanelle m'avait bien servi jusqu'à ce jour.

Le mystère le plus impénétrable entourait cette fameuse photographie.

En échange d'un sourire aimable, j'avais appris, par la joviale réceptionniste Sonia, que cette photo avait été expédiée quelques semaines auparavant directement au président du comité de parents.

— Est-ce possible que Victor ait voulu, pour une raison qu'on ignore, se moquer du président en lui envoyant cette photo ? demanda Geneviève en nous versant un second apéritif.

— Peut-être. Mais il devait être bien conscient que cette photo nous déshonorerait et entacherait notre réputation auprès de la directrice, répondis-je en avalant une lampée de porto.

— Le fait qu'il se retrouve lui aussi sur la photo prouve qu'il n'avait certainement pas l'intention de mal faire, s'objecta l'avocate du diable.

— Disons que Victor a mal évalué les conséquences de son geste. Déjà que la relation avec la directrice était tendue, ce n'était pas vraiment nécessaire d'en rajouter, dis-je, un brin accusateur.

Quoi qu'il en soit, je ne pouvais imaginer un seul instant que Victor se soit comporté perfidement avec l'intention délibérée de me nuire. Loyal comme un mousquetaire, le frère Antonio ne m'aurait jamais mis des bâtons dans les roues. C'était contre sa nature.

J'osais croire que l'apparition soudaine de sœur Denise-des-Anges dans le décor ne justifiait pas un tel comportement de sa part. Elle ne représentait plus une menace pour moi. Cette époque était désormais révolue.

Un épais brouillard flottait toujours au-dessus de ma tête.

Les effets euphorisants de l'alcool mêlés au génie du compositeur classique alourdirent mes paupières. La musique classique ressemble au décapant employé pour chasser les impuretés incrustées dans les veinures du bois. Ces airs soulèvent lentement les strates de notre mémoire jusqu'à la racine de notre cœur et font remonter comme par magie à la surface une cascade de souvenirs heureux ou malheureux.

Or, je fus plongé tout à coup au Jardin de l'Enfance durant la fête de la Nativité. Je cherchais celle qui gardait mon précieux trésor. Quel choc ce fut d'apprendre de la bouche de la mère supérieure que sœur Denise-des-Anges avait quitté la communauté pour une mission en Argentine. Mission désavouée plus tard par l'oncle du frère Antonio, qui la crut plutôt mêlée à une mystérieuse affaire policière défrayée alors par les journaux de l'époque.

Quand la musique se tut, je sortis brusquement de mon adolescence en me demandant ce qui avait réellement incité sœur Denise-des-Anges à abandonner la communauté religieuse.

Il y avait là matière à enquête.

Par bonheur, la fin du mois de février approchait. À cette période, une tension régnait dans les corridors de l'école. L'année scolaire s'étirait comme un élastique extrêmement tendu qu'il fallait obligatoirement relâcher de peur qu'il nous pète à la figure. C'était d'ailleurs pour cette raison que le ministère de l'Éducation, dans sa sagesse habituelle, avait baptisé cette semaine « la relâche ».

Ce congé tomba à point nommé puisqu'il me permit de m'envoler à bord de la machine à voyager dans le temps.

Je déclinai à contrecœur l'invitation d'aller patiner avec les enfants au parc du coin.

— Qu'est-ce que ça va te donner de savoir ce qui est arrivé à l'été soixante-deux ? me demanda Geneviève d'un air maussade.

— Connaître l'endroit où elle a caché mes cartes de hockey ! répondis-je en ricanant.

— Sois plus sérieux, veux-tu ?

— Je tiens à en savoir un peu plus sur le passé de cette femme qu'on a envoyée secrètement en mission étrangère. Cela me paraît bien louche ! affirmai-je, sceptique.

— Plus on remue la merde, plus elle pue ! rétorqua Geneviève en se pinçant le nez.

— Peut-être ! Mais, j'aurai au moins quelques munitions pour l'attaquer ! dis-je en me frottant les mains.

Dès qu'ils quittèrent la maison, je ne perdis pas de temps et me dirigeai à tombeau ouvert vers la Bibliothèque municipale de Montréal.

Je descendis la rue Saint-Denis et empruntai la rue Cherrier. À la hauteur du parc Lafontaine, je bifurquai vers le sud et arrivai en face de la majestueuse bibliothèque. En gravissant les marches qui menaient à la porte d'entrée, je me rappelai la tribune que l'on avait érigée durant la fête de la Saint-Jean de 1968 au cours de laquelle le premier ministre du Canada, Pierre Elliot Trudeau, avait été pris à partie par les séparatistes du Québec.

Malgré les projectiles lancés en sa direction, le dignitaire demeura sur place. Cette provocation symbolise encore aujourd'hui dans la tête des souverainistes toute l'arrogance et tout le mépris des fédéralistes affichés à leur endroit.

Après avoir franchi l'immense porte drapée de feuilles de bronze, je pénétrai dans le hall d'entrée. Dans cette immense salle, le marbre abondait. On le retrouvait partout : dans les corridors, les escaliers et même dans les toilettes. Dans les vespasiennes de luxe, l'urine avait la couleur de l'or.

Une balustrade similaire à celle de la toiture ceinturait la mezzanine au-dessus de laquelle vingt et un vitraux multicolores décoraient le plafond à caissons. Cette salle était considérée, à juste titre d'ailleurs, comme le joyau de l'immeuble.

À côté de cette magnifique pièce se trouvait la salle de référence générale, autrefois baptisée le bureau du conservateur. C'est dans cette salle que je m'apprêtais à remonter le temps à l'aide d'une vaste banque de bobines autour desquelles s'enroulait toute l'actualité du vingtième siècle.

La préposée au comptoir, aimable comme un chardon, me remit le microfilm du mois de juin 1962.

En parcourant la une du journal sur mon écran translucide, je glissai les yeux vers le bas où un titre attira mon attention. Je changeai de lentille et grossis le titre, qui chapeautait un court article :

MORT MYSTÉRIEUSE DANS LA COUR
DU JARDIN DE L'ENFANCE

Hier à l'aube, on a découvert dans la cour de l'Institution des sourdes-muettes de Montréal le corps d'une jeune novice qui, selon les rapports préliminaires d'enquête, serait tombée depuis le toit du vieil édifice. On ne connaît pas encore les causes de cette mort. S'agit-il d'un suicide, d'un meurtre ou tout simplement d'un malencontreux accident ? Les autorités religieuses demeurent pour l'instant très coites.

L'archevêque de Montréal a dépêché sur les lieux des hommes de son ministère en espérant faire toute la lumière sur ce drame.

Il n'était pas question cette fois-ci de reculer. Je m'empressai donc d'accélérer le temps à une cadence plus rapide. Deux jours plus tard, la suite du drame chez les Sœurs de la Providence défrayait aussi la une de *La Presse* :

DES NUITS PAS TRÈS CATHOLIQUES
CHEZ LES BONNES SŒURS

La jeune novice que l'on a retrouvée sans vie dans la cour de l'Institution des sourdes-muettes, il y a de cela deux jours, serait morte dans des circonstances pour le moins nébuleuses. La jeune demoiselle, qualifiée de personne douce et docile aux yeux de la mère Marie-de-Sainte-Élizabeth, portait sur son corps des égratignures ainsi que de longues éraflures sur la poitrine. On a retrouvé des sous-vêtements sur le toit ayant appartenu à la jeune victime ainsi que de longs cierges vierges.

Les cierges abandonnés sur les lieux du drame laissent présumer que la jeune sœur a refusé de se soumettre à des jeux immoraux. Selon des sources fiables, il y aurait eu escarmouche sur le toit puisque le gravier a été anormalement balayé dans un périmètre plutôt restreint. Les nombreuses traces de pas laissent croire que la victime n'était pas seule au moment du drame.

Rappelons pour ceux qui l'ignorent que le toit de l'édifice est ceinturé d'une longue palissade autour de laquelle un trottoir de bois permet à celles qui le désirent de profiter de l'air pur et au curé de lire son bréviaire quotidiennement. Aussi, il y a un grand escalier extérieur qui donne accès directement à la couverture. Ce qui aurait permis aux personnes se trouvant sur le toit de s'éclipser en douce après le drame. La menace extérieure n'est donc pas exclue.

Les limiers possèdent peu d'indices et demandent l'appui de la population. Si des personnes ont été témoins du drame, il est de leur devoir civique de se manifester le plus rapidement possible afin de faire la lumière sur ce drame qui entache la bonne réputation de l'institution.

Quelques jours plus tard, un entrefilet concluait tout bonnement à un bête accident survenu dans des circonstances pour le moins confuses. L'Église n'en était pas à ses premières tartufferies, de sorte que cette histoire fut aussitôt étouffée par les autorités religieuses.

Par contre, les ragots qui couraient à l'intérieur des murs donnèrent à l'événement une tout autre couleur. Le concierge aurait ainsi aperçu deux religieuses déserter leur chambre peu avant l'heure du drame survenu aux alentours de minuit, et une religieuse sénile aurait entrevu une lumière tamisée sous la porte de l'aumônier tard en soirée.

Ce qui expliquerait sans doute le départ prématuré des deux religieuses contraintes de résilier leurs vœux sous les ordres de l'Archevêque du diocèse de Montréal. Malheureusement, une tache d'encre noire aussi grande qu'une pièce de vingt-cinq cents masquait le nom des deux religieuses déchues.

La mèche étant maintenant éventée, j'introduisis une pièce de monnaie dans l'interstice de la machine à voyager dans le temps afin d'obtenir une copie du journal. La photocopie surgit des entrailles de l'appareil en se tortillant comme un ver au bout de l'hameçon. Je conservai précieusement ce document en sûreté. Je risquais d'en avoir besoin très bientôt.

— Pauvre Clément, il n'y a rien qui prouve que l'une des religieuses soit ta sœur diabolique, reconnut Geneviève en tirant le rideau de la douche.

— Peut-être, mais il n'y a rien qui prouve le contraire non plus, rétorquai-je en faisant glisser prudemment la lame bien affûtée à la commissure de mes lèvres.

— Tu ne peux pas l'accuser avec des preuves aussi superficielles. Les hommes d'Église s'en tirent toujours trop bien à mon goût dans ces histoires-là. C'est trop injuste ! Mon père nous a déjà raconté des histoires pas mal salées sur les vices cachés du clergé quand il faisait ses recherches à l'université. Il animait le souper d'histoires qui provoquaient la colère de ma mère, mais qui nous faisaient bien rire mes frères et moi, confia-t-elle en brossant délicatement ses poils palpébraux.

— Et ça n'impliquait jamais des sœurs ?

— Non ! Jamais ! Ça concernait surtout les curés et les aumôniers ! Tiens ! Écoute celle-là ! Il y avait un curé qui avait l'habitude de confesser des jeunes filles dans sa chambre à coucher. Le clergé était au courant, mais aucune accusation ne fut portée contre lui. Il y avait aussi cet aumônier qu'on a retrouvé mort dans sa chambre à la suite d'un arrêt cardiaque après la visite d'une jeune fille. Chaque collège, chaque couvent a eu son lot de délits sexuels et l'Église s'est toujours organisée pour les enterrer. Pourquoi ça serait différent aujourd'hui ? Dis-moi donc où était l'aumônier quand la jeune fille est tombée du toit ? D'après moi, le clergé a sauté à pieds joints sur cette affaire pour se débarrasser des deux sœurs ! Pourquoi ? Ça, je l'ignore ! affirma ma douce moitié en badigeonnant méticuleusement ses ongles d'un vernis rouge vif.

Je ne pouvais contredire ce qu'elle avançait, surtout après avoir passé quelques années à l'orphelinat où quelques frères avaient une prédilection marquée pour les jeunes garçons pubères.

Le doute m'empêcha de porter un jugement éclairé sur ces événements passés. Je rêvais toutefois de ce jour où Constance Sainphard m'expliquerait les circonstances entourant son départ prématuré de la communauté religieuse, car on ne se fait pas montrer la porte sans raison.

Le mystère planait toujours au-dessus de sa tête. Mes recherches à la bibliothèque m'avaient donné des atouts que je n'étais pas pressé d'abattre. Je recherchais le jeu parfait ! Je pouvais encore me montrer patient.

Mais je me sentais déjà renaître, comme le phénix.

Fin de la troisième période

À l'aube du printemps, une violente tempête de neige infligea aux Montréalais une grande déprime, de sorte que la mauvaise humeur régnait partout et les sourires se faisaient plutôt rares. L'école n'échappa pas à cette dernière grimace hiémale au point qu'il n'y avait plus grand enthousiasme ni zèle à la veille du congé pascal.

Je ne savais pas trop comment aborder le cours de poésie lorsque la radio dominicale diffusa un reportage commémorant le vingt-deuxième anniversaire de l'émeute du Forum de Montréal. C'est alors que je me rappelai le troisième vers du poème épique de Félix Leclerc composé en hommage à l'idole de tout un peuple.

Je sus aussitôt quelle orientation prendraient mes prochains cours. Je préparai donc fébrilement une entrée en scène qui en surprendrait plusieurs et en exaspérerait une.

Ainsi, le matin du 17 mars, je laissai tomber veston et cravate pour enfiler le chandail rouge flamboyant de la Sainte Flanelle. Au petit-déjeuner, les enfants me regardèrent drôlement. Catherine se demanda si je travaillais et Nicolas piaffa pour en porter un lui aussi.

— Sois patient, mon chéri ! Ta fête s'en vient ! l'encouragea Geneviève pour le calmer un peu.

— Viens, suis-moi champion ! Je crois que j'en ai un pour toi, fis-je en le tirant par la main en direction du sous-sol.

Dans un inextricable enchevêtrement de tissus bigarrés, gisait au fond du coffre de cèdre, comme une épave au fond de l'océan, la Sainte Flanelle de mon enfance. Je dépliai soigneusement le chandail tricolore en repassant ses quelques plis avec la paume de ma main. Je sentis sous ma peau de légères vibrations : les exploits de mon héros m'habitaient encore.

La naphtaline avait imprégné le tissu d'une forte odeur, mais Nicolas ne s'en soucia guère et l'enfila aussitôt. J'observai longuement mon fils dans la glace, me revis à sept ans et eus soudainement une pensée profonde pour tante Mignonne. J'avisai Nicolas avant son départ pour l'école que je tenais à ce chandail comme à la prunelle de mes yeux. Le clin d'œil coquin qu'il m'adressa me rassura toutefois.

Ce matin-là, je me faufilai en douce derrière mon bureau, mais mon arrivée dans la salle des enseignants ne tarda pas à provoquer des rires et à engendrer des remarques désobligeantes.

— A-t-on idée de s'accoutrer comme ça pour instruire notre jeunesse ? souffla Eugène Marquis à son voisin Côme Cherrier.

— Qu'est-ce que c'est cette mascarade ? Quand vas-tu cesser de faire le bouffon, mon pauvre Clément ? me demanda Camille Brillon d'une voix plaintive.

Encore le sempiternel prêchi-prêcha étouffant de mon enfance.

— Regarde ! La une du journal commémore l'émeute du Forum ! Ne crois-tu pas qu'en bon historien tu pourrais en parler aux élèves pour leur rappeler une date importante dans l'histoire du Québec ? soulignai-je à Eugène Marquis, toujours aussi infatué de sa personne.

— C'est hors de question ! s'objecta l'historien en levant les yeux du journal, comme si je lui avais montré une photo obscène.

— C'est bien ce que je pensais ! C'est la raison pour laquelle tu me vois avec ce chandail-là ! Moi, je vais leur en parler, fis-je en flattant les manches de la flanelle tricolore.

Comme je croyais toujours donner un spectacle, il allait de soi de porter ce chandail pour enseigner. Comme Robert Charlebois. Comme Fridolin. Comme un drapeau planté à la racine de mon cœur.

— Enseignes-tu toujours le français ? s'enquit Camille en ramassant ses livres.

— Plus que jamais ! Si tu veux t'instruire un peu, je t'invite à assister à mon cours ! répondis-je en déguerpissant au son du timbre.

— Fais-tu exprès de la provoquer ? me lança Napoléon dans le corridor.

— Peut-être... mais le choc risque d'être plus brutal cette fois-ci !

— Qu'est-ce que tu veux dire ?

— Tu verras bien assez vite ! affirmai-je en affichant un air frondeur.

Dès que je mis les pieds dans la classe, je m'élançai vers le tableau et écrivis le poème de Félix Leclerc :

IL NEIGE !
Quand il lance, l'Amérique hurle.
Quand il compte, les sourds entendent.
Quand il est puni, les lignes téléphoniques sautent.
Quand il passe, les recrues rêvent.
C'est le vent qui patine.
C'est tout Québec debout
Qui fait peur et qui vit.
Il neige !

Je pesai si fort sur la craie que la poussière blanche tomba sur mon chandail rouge comme une neige folle.

Ça sentait déjà le hockey !

En février 1945, le commentateur radiophonique Michel Normandin s'était exclamé sur les ondes, à la suite d'un but spectaculaire de Maurice Richard, qu'un jour nos poètes chanteraient ce but tellement il avait été extraordinaire.

Or, Félix Leclerc ne l'a peut-être pas chanté, mais son poème célébrait en peu de mots la magnificence du joueur.

J'y allai d'un enthousiasme inhabituel. De mon plus bel élan ! De mon plus beau coup de patin !

Je divisai mon cours en deux parties. La première présenta le principal acteur du drame de la rue Sainte-Catherine.

Le chansonnier québécois avait composé son poème en vers libres ; libre comme celui dont il vantait les mérites. Il ne le nommait jamais et pourtant tous les élèves le reconnurent d'emblée, même s'ils ne l'avaient jamais vu jouer. Phénomène réservé qu'aux plus grands. Sa renommée occupait toujours l'imaginaire du peuple québécois.

Pour témoigner de sa grande vitesse et de son impétuosité, l'auteur escamota le sobriquet anglais notoire. Il compara plutôt notre idole au vent qui patine avec fougue et rage. Libre comme le vent !

Je m'attardai longuement à l'hyperbole employée dans les deux premiers vers, que je ponctuai de truculentes anecdotes reliées aux nombreux exploits du célèbre hockeyeur. Quand il marquait des buts, il déclenchait une telle explosion de joie que personne ne pouvait l'ignorer.

Les verbes « lance » et « compte », au début des deux premiers vers, formaient la phrase laconique la plus hurlée dans les micros de la radio et de la télévision nationales. Courte phrase qui faisait rêver toute une jeunesse en manque de héros.

— À qui vous fait penser le vers « Quand il passe, les recrues rêvent » ? lançai-je aux élèves attentifs comme des vigies.

— À tous les petits garçons qui portaient le chandail numéro neuf du Canadien dans l'histoire qu'on a lue au début de l'année, répondit un élève que je n'avais encore jamais vu lever la main.

— Bravo ! C'est exact ! dis-je en déposant ma craie.

Je m'assis sur le coin de mon bureau et pris quelques minutes pour leur expliquer pourquoi ces jeunes s'identifiaient à Maurice Richard.

Le héros auquel l'enfant s'identifie, comme le petit garçon de la nouvelle littéraire, incarne le succès. Comme nous rêvons tous de réussir, nous nous projetons à travers des gagnants. Personne ne s'identifie aux perdants, car ils ne nous font pas oublier notre condition. Seuls les héros nous font rêver, nous font espérer des jours meilleurs.

Je me levai d'un bond et pointai avec ma règle le sixième vers du poème : « C'est tout Québec debout... »

Parce qu'ils plient rarement l'échine, les héros deviennent des modèles à imiter. Maurice Richard s'est toujours tenu debout. Toujours droit comme un chêne. Authentique. Cet homme au caractère bouillant n'a jamais reculé devant des adversaires coriaces et très peu respectueux des règles. Doté d'un courage indiscutable et brave jusqu'à la folie, il n'a jamais plié et a toujours résisté aux charges ennemies souvent vicieuses. Étant donné que Maurice Richard n'était pas une brebis, les loups ont la plupart du temps peiné à s'y faire les dents.

En ce jour commémoratif, j'entamai la deuxième partie du cours par l'étude exhaustive du troisième vers.

— Comment ça que les lignes téléphoniques ont sauté ? me demanda de belle façon une charmante demoiselle.

— Parce que le peuple québécois criait à l'injustice à la suite de la punition infligée par le président de la ligue, répondis-je en affichant la une de *La Presse*.

Je leur fis aussitôt la lecture de quelques extraits tirés du roman de Pierre Gélinas, *Les vivants, les morts et les autres*, dans lequel on pouvait revivre l'atmosphère de l'émeute. Je leur demandai alors de fermer les yeux et d'imaginer à leur manière ce que je leur racontais. Je sentis parmi les élèves les plus rebutés par le cours de français une plus grande attention.

Je lus en premier lieu à haute voix le passage décrivant l'arrivée du président responsable de la suspension du Rocket :

— *Déjà, la rue Sainte-Catherine était pleine de monde. On avait ignoré jusqu'à la dernière minute si Campbell oserait se montrer la face ; la partie commencée, la nouvelle de sa présence avait été aussitôt transmise à l'extérieur ; elle retint sur les lieux le premier noyau de l'émeute qui, autrement, se serait dispersé. La présence de Campbell prit l'allure d'une provocation, la démonstration de son mépris de l'opinion canadienne-française. « Il sortira pas de là vivant ! » crièrent quelques énergumènes...* Voulez-vous savoir comment il s'en est sorti ? demandai-je à brûle-pourpoint pour jauger leur intérêt.

Une forte acclamation faillit me percer les tympans. Je m'empressai de continuer :

— *Une bombe lacrymogène éclata au milieu de la patinoire ; simultanément, on éteignit les principales torches électriques et le Forum parut plonger dans la nuit. Dans le brouhaha qui suivit, et grâce au flottement qui disloqua la foule, les policiers enlevèrent Campbell et le traînèrent dans le dédale des corridors du Forum jusqu'à une petite pièce où on le cacha les heures suivantes.*

Les élèves écoutaient très attentivement au point que le train qui passa à cet instant ne les perturba nullement.

— Qui a lancé la bombe ? interrompit une jeune fille captivée par le récit.

— Il semble que ce soit l'œuvre de la police pour sauver la peau du président, répondis-je en faisant glisser une fenêtre.

— Qu'est-ce qui est arrivé à l'extérieur ? s'enquit un autre, presque haletant.

— *L'émeute roulait comme la lave balayant tout avec une violence qui, déchaînée non contre les choses mais pour le seul plaisir, avait l'air indifférent des cataclysmes ; d'Atwater à la rue Guy, où elle vint lentement s'éteindre, elle laissa une traînée de verre cassée, de claques et de chapeaux, de détritus dont la variété attestait l'incroyable talent inventif de l'homme pour les objets inutiles.*

D'un geste rapide, je tirai les rideaux, qui plongèrent subitement la classe dans l'obscurité totale. J'introduisis la vidéocassette de l'émeute dans le magnétoscope pour projeter à l'écran les images violentes du drame. L'ampleur de l'événement sidéra complètement la classe.

Il y avait donc très exactement vingt-deux ans ce jour-là, la ville de Montréal avait connu une turbulence collective comme il ne s'en était jamais vu depuis la conscription. Certains historiens notoires croient encore de nos jours que ce soulèvement populaire a marqué le début du mouvement nationaliste québécois et pavé la voie de la Révolution tranquille.

Je terminai mon cours en leur rappelant que Maurice Richard, ce héros puni injustement, avait été ce défricheur, ce bulldozer nous ouvrant la voie. Pour la première fois, nous n'étions plus des perdants. Nous existions. Nous avancions. Lentement. Mais nous ne reculions plus. Pour conclure, je désignai au tableau les vers du poème : « C'est tout Québec debout qui fait peur et qui vit. »

Nous avions enfin un gagnant, le meilleur de la race, en qui nous nous identifiions consciemment ou non. Tous les habitants du Québec patinaient avec celui qui portait sur ses épaules le poids de toute la nation canadienne-française.

Dans la dernière minute, je leur fis tourner un court extrait de la chanson de Pierre Létourneau, *Maurice Richard* :

Quand sur une passe de Butch Bouchard
Y prenait le puck derrière ses goals
On aurait dit qu'il portait le sort
De tout le Québec sur ses épaules.

La sirène se fit entendre au moment où se taisait Pierre Létourneau et, phénomène rarissime, quelques élèves se regroupèrent autour de mon bureau comme les joueurs auprès du gardien de but pour le féliciter de sa performance.

Je me sentis comme un pétard que les regards attentifs des élèves avaient allumé. J'étais heureux comme sur une patinoire. Libre comme l'air !

Tous avaient remarqué la passion qui scintillait dans mes yeux. Mon cœur explosait de joie et les élèves perspicaces s'aperçurent rapidement que c'était un nouvel enseignant qui était planté devant eux. Certains se demandant même pourquoi il n'en avait pas été toujours ainsi.

J'étais dans ma bulle. Dans mon monde. Pour combien de temps encore ? Je l'ignorais. Je me sentais bien dans ma peau et c'est ce qui importait le plus. Les élèves me savaient heureux ; ils le devenaient par la même occasion. Mon cours avait provoqué une étincelle qui les avait peut-être allumés ! Qui pouvait savoir ? N'était-ce pas le premier rôle de l'école ?

Je demeurais persuadé que les enfants apprenaient beaucoup plus de la vie en nous observant qu'en se voyant imposer constamment une discipline rigide ne visant qu'à fabriquer des êtres dociles et soumis dépourvus de toute créativité et de sens critique.

Après que les élèves eurent déserté la classe, je retirai lentement mon chandail en savourant pleinement ce rare moment de grâce avant que les puissantes mâchoires de l'étau directeur se referment sur moi et écrasent toute ma spontanéité.

J'aurais souhaité que cette heure de cours s'étire encore longtemps comme une musique romantique qui nous entraîne dans les bras d'une jolie femme. Priant pour que la musique ne s'arrête jamais. Tellement l'on se sent bien ! Plaisir sublime qui ne compte pas le temps. Plaisir éphémère. Volatil et léger comme un doux parfum de femme.

Le lendemain matin, je croisai Eugène Marquis qui m'apostropha de façon cavalière.

— Belzile, es-tu en train de perdre la carte par hasard ?

— Laquelle ? Celle du Canada ? Ça fait longtemps que je l'ai perdue ! ricanai-je en laissant couler le café aussi épais que de la mélasse.

— Ne fais pas l'innocent ! Tu sais très bien ce que je veux dire. Tu peux toujours parler de hockey si ça t'amuse, mais viens pas mêler l'histoire du Québec à ce jeu de bas niveau. Viens pas jouer dans mes plates-bandes ! m'ordonna-t-il en laissant choir dans son café un cinquième carré de sucre.

— Mais, je ne joue pas dans ton jardin ! Je leur ai tout simplement rappelé un fait marquant de notre histoire que notre littérature n'a pas oublié. Est-il défendu de faire de la littérature dans un cours de français ? demandai-je candidement.

— Tu sais bien que non ! Mais de parler de séparatisme, oui par exemple ! Aurais-tu oublié que tu enseignes dans une école privée ? Je ne pense pas que les parents paient pour que tu bourres le crâne de leurs enfants avec de telles insanités, déclara-t-il en haussant le ton.

J'avais complètement oublié. Cet énergumène représentait le corps professoral auprès du comité de parents. J'évitai de tomber dans le panneau.

Cette algarade matinale ne me surprit nullement. Nous n'en étions pas à nos premières prises de bec depuis l'élection du Parti québécois l'automne dernier.

— Est-ce parler de séparatisme aux élèves que de raconter l'histoire d'un Canadien français puni injustement par un Britannique ? soulevai-je en tapant si fort sur mon bureau que mon café tangua dangereusement.

— Encore l'argument simpliste du bon Canadien français, pratiquant et bon père de famille, opprimé par les méchants Canadiens anglais oppresseurs ! Ton héros n'était pas un enfant de chœur ! Il a tout simplement eu ce qu'il méritait ! De là à croire que l'émeute qu'il a provoquée nous a sortis de la Grande Noirceur ! Il y a là un pas énorme que je ne suis pas prêt à franchir! rétorqua-t-il sur un ton hautain.

Cette discussion prit tout à coup les allures d'un duel auquel assistaient quelques enseignants intéressés. L'occasion était belle de river le clou à ce hâbleur emmerdant.

— L'Église a longtemps maintenu le peuple dans l'ignorance et la peur. Le peuple avait besoin de respirer et Richard incarnait cet élan de liberté. Parce qu'il était le meilleur joueur, le peuple québécois l'a investi du mandat de nous représenter fièrement et de porter sur ses épaules la charge de toutes nos aspirations et frustrations, lançai-je dans une envolée à l'emporte-pièce.

— C'est bien l'erreur que font toutes les personnes comme toi! Sa suspension n'a pas seulement frustré les partisans francophones. Le soir de la fête nationale des Irlandais, il y avait aussi beaucoup de partisans anglophones dans la rue. Ton pseudo-libérateur n'a pourtant jamais levé le nez sur les honneurs qui venaient de la capitale fédérale. Son attachement à la fédération canadienne n'a jamais fait de doute! Savais-tu qu'il a été un partisan et un ami inconditionnel de Maurice Duplessis? me questionna-t-il en dissimulant à peine un sourire triomphant.

— Bah! Qu'est-ce que ça prouve? Je doute fortement qu'il ait été conscient de l'impact qu'il exerçait sur le peuple! Son attachement à un parti importe peu! Il aura été un symbole d'espoir pour toute une nation! Et on ne peut empêcher tout un peuple de rêver! N'oublie pas que plusieurs historiens comme toi croient toujours que l'émeute du Forum a provoqué un déclic qui nous a sortis de la noirceur, soulignai-je en observant chez mon interlocuteur une moue de mépris à l'égard de ses confrères historiens.

Comme les élèves, Eugène Marquis fut sauvé par le son du timbre qui nous hélait au boulot. Quand il passa devant mon bureau, je vis dans sa démarche que je l'avais ébranlé.

Je n'insistai pas: il aurait bientôt sa revanche lors de la prochaine réunion du comité de parents.

Cette discussion inopinée changea complètement mon plan de match. Je renonçai au cours de grammaire et je sortis plutôt de l'étagère derrière mon bureau le roman *Il est par là, le soleil*. La conversation avec mon collègue m'avait grandement inspiré.

En gravissant les marches de l'escalier, je mijotai dans ma tête le plat que j'allais servir aux élèves. Une fois dans le corridor, une surprise de taille m'attendait.

Je fus accueilli près de ma classe par quelques élèves qui arboraient le chandail du Tricolore en scandant des « GO HABS GO ! » percutants. Je ne me préoccupai pas du code vestimentaire et laissai pénétrer dans la classe les élèves rebelles. J'avais plusieurs « Lafleur » assis devant moi. Ça sentait le printemps à plein nez !

Or, je me servis de ce cri de ralliement hurlé par les élèves pour leur donner une brève leçon sur la signification du logo qui ornait le chandail de la Sainte Flanelle.

Tous ignoraient le sens réel des deux lettres entrecroisées au cœur du chandail. Je choisis au hasard un élève qui s'avança près de mon bureau, le torse bombé comme un soldat bardé de décorations militaires. Plusieurs élèves crièrent à l'unisson : « Club de Hockey ! »

Selon le propriétaire du Canadien des années 1920, les lettres signifieraient plutôt : « Club Canadien Habitant. »

Les élèves comprirent alors pourquoi la communauté anglophone canadienne avait baptisé l'équipe du Canadien « Habs ».

— Mais on n'est pas des habitants, Monsieur ? s'indigna une élève sur un ton méprisant.

Sa réaction ne me surprit guère, car le mot « habitant » avait pour plusieurs une connotation péjorative.

Or, dans la culture québécoise, le mot « habitant » désigne le paysan ou le cultivateur qui a bâti le pays à la sueur de son front en s'esquintant du matin au soir sur une terre souvent stérile.

— N'est-ce pas assez pour conférer au mot « habitant » une valeur méliorative ? demandai-je à la classe exceptionnellement silencieuse.

Des études sur le terroir nous apprennent que l'habitant est le vrai Canadien. Celui qui incarne la nation canadienne-française.

En 1909, la première équipe du Canadien de Montréal n'était constituée que de joueurs francophones, tandis que les deux autres équipes montréalaises n'étaient composées que de joueurs d'origine anglaise et irlandaise.

Donc, la population montréalaise s'est identifiée très tôt au Canadien parce qu'il était un fidèle miroir de la collectivité. Ainsi, le mot « habitant » incarnait bien le peuple que l'équipe montréalaise voulait représenter : la nation canadienne-française fondatrice du Québec.

Tout à coup, une main s'agita au fond de la classe.

— Mon père m'a déjà raconté une histoire semblable dans son pays. Le club de foot « Athletico de Bilbao » n'est formé que de joueurs basques. Aucun étranger ne peut y jouer. Même pas un Espagnol ! m'apprit Carlos, fils d'un immigrant madrilène.

Je le félicitai pour la pertinence de son intervention et demandai aux élèves de sortir leur roman. La discussion avec Eugène m'avait allumé, pour ne pas dire piqué au vif.

Je lus à voix haute un court passage du roman québécois de Roch Carrier au cours duquel le personnage principal se retrouve soudainement aux portes du Forum. Il achète un billet et ne peut croire qu'il verra jouer son idole. « Baptême, c'est pas vrai ! La réalité est pas vraie ! Hostie ! Je vois Maurice Richard. Ça se peut pas. Je le vois pas ! »

Juste avant de tirer vers le but, un joueur torontois accroche Maurice Richard et le fait trébucher violemment. « Ces Anglais ne tolèrent pas que des petits Canadiens français comme Maurice Richard leur soient supérieurs. »

Mon plan fonctionna à merveille puisque ce dernier extrait déclencha des sentiments violents entre des élèves d'allégeance politique différente. Une vive discussion s'engagea au point que les murs en tremblèrent. Je nageais dans la béatitude. Le nationalisme était loin d'agoniser, n'en déplaise à Eugène Marquis.

Quand la tempête se calma, je demandai aux élèves d'expliquer à l'aide d'un vers du poème de Félix Leclerc l'extrait du roman en tenant compte des événements du 17 mars 1955. À mon grand étonnement, et pour la première fois de l'année, personne ne s'insurgea contre le devoir.

J'avais hâte de lire ce qu'ils allaient m'écrire, mais pas autant toutefois que la carte postale expédiée par mon ami Victor depuis Héraklion, sur l'île de Crète. Je m'ouvris une bonne bière froide, rituel quotidien auquel peu d'enseignants échappaient, tout en observant la photo d'une tombe de marbre sur laquelle on lisait cette épitaphe : « Je n'espère rien, je ne crains rien, je suis libre. »

Je retournai rapidement la carte et en entamai religieusement la lecture.

Le 1er mars 1977

Mon cher Clément,

Tel que promis, je me suis recueilli sur la tombe de Nikos Kazantzaki et j'ai pensé à toi et à Zorba avec qui nous avons partagé de si bons moments. Déjà deux mois de trip *sur cette île merveilleuse peuplée de gens riches de cœur. Ce voyage est la quintessence de tous les sens ! Malgré tout cela, je pense à la fièvre du printemps qui va me manquer.*

Saute le bouchon d'une bonne « Mol » à ma santé et vive la Sainte Flanelle ! Merci de me fixer sur cassette les plus beaux moments des séries que nous regarderons à mon retour. Je n'oublie pas tes trente ans, que tu fêteras bientôt. Que cet anniversaire soit le plus mémorable !

Je vous embrasse tous ! Bises à Catherine, Nicolas et Geneviève.

Victor, alias le frère Antonio

P.-S. Est-ce que la photo souvenir de notre belle soirée a commencé à faire monter la mayonnaise dans la cabane ?

Mon ami avait peut-être la tête près du paradis, mais les deux pieds empêtrés dans ses racines les plus profondes. Victor ne pouvait renier son passé. Comme nous tous d'ailleurs.

Ainsi, quand l'image des écrans de nos salons disparaissait et que les puissants réflecteurs du Forum s'éteignaient lentement, les joueurs de hockey poursuivaient encore leurs fougueux élans dans nos têtes. Ils continuaient de patiner et de frapper des rondelles qui résonnaient partout dans nos corps pourtant immobiles. Peu importe l'heure et le jour, peu importe la ville et le pays, les rêveries corrigeaient une réalité devenue insupportable.

Mon camarade avait apporté dans son havresac un peu d'hiver qu'il sortait à l'occasion pour se rafraîchir les idées. Un peu comme le fit Pierre Létourneau à Paris lorsqu'il composa une chanson pour Maurice Richard parce qu'il s'ennuyait trop de ses racines.

Le gentil globe-trotter semblait affligé d'un terrible cafard. Je sympathisais avec lui, mais je ne comprenais absolument pas les raisons qui avaient incité cet hurluberlu à figer un instant de douce folie et à semer par le fait même une discorde inévitable.

La question sibylline greffée au bas de la carte postale prouvait indubitablement que toute la mise en scène entourant la fameuse photographie au bar de danseuses avait été scrupuleusement ourdie.

Cette question me tourmenta l'esprit quelques instants et me plongea dans d'exaspérantes tergiversations. Pourquoi avoir jeté sciemment de l'huile sur le feu? Pourquoi vouloir attiser ce feu qui me dévorait déjà le cœur? Qui désirait-il réduire en cendres? De qui voulait-il se débarrasser? Qui voulait-il protéger? Pourquoi? Et de quoi? Aurait-il agi différemment s'il avait su que j'avais vu, par un curieux hasard, les traits austères de sœur Denise-des-Anges se profiler derrière le visage ténébreux de Constance Sainphard?

Mon esprit tournoyait dans ma tête à la vitesse d'un derviche tourneur. Après quelques minutes, je parvins enfin à reprendre mes esprits.

Au pis aller, me considérait-il encore comme ce petit Clément vulnérable, incapable d'affronter l'adversité au temps de l'orphelinat? S'imaginait-il que je ne pourrais me mesurer à cet être monstrueux bicéphale ayant jadis anéanti toute ma spontanéité et brimé ma liberté? Il fallait dompter la bête, de sorte qu'il n'était nullement question que je déserte le navire malgré cette déferlante annonciatrice d'un possible naufrage. L'ère de l'ange gardien protecteur était terminée.

Au mieux, j'en conclus finalement à une plaisanterie de mauvais goût, un égarement comme nous en connaissons tous à un moment donné de notre vie et que nous ne parvenons pas à expliquer ou un geste de provocation envers les bonzes de l'enseignement qu'il n'affectionnait pas particulièrement.

Pauvre Victor! La sénilité commençait peut-être déjà à faire son œuvre.

Quoi qu'il en soit, il avait encore sa tête puisqu'il se souvenait, même sous d'autres cieux, de la date de mon anniversaire. Cela me rassurait. Une personne aussi magnanime ne pouvait nourrir de mauvaises intentions à mon égard. J'en étais persuadé, même si je ne m'expliquais toujours pas le motif de son geste.

Or, comme ma fête tombait dans moins de dix jours, les vœux prématurés de mon ami éveillèrent mon attention. J'attendis donc jusqu'à la première heure du lendemain pour publier à nouveau dans le journal un avis de recherche. « Cet appel sera la dernière bouteille lancée à la *mère...* » me dis-je en raccrochant.

Cette carte postale arriva on ne peut mieux puisque le printemps était à nos portes. Comme l'aura de mon maître planait toujours au-dessus de ma tête, j'en profitai pour imiter le frère Antonio, lui qui écrivait au tableau à la venue de chaque printemps : « Pareil renouveau dans la glorieuse saison, par l'ordre du printemps, nous commande la joie. »

À une époque où la *pop music* embrasait le cœur des adolescents, il m'apparut téméraire, sinon totalement déconnecté, de faire tourner des airs de la musique des Carmina Burana. J'en pris néanmoins le pari pour les initier à l'art de la prose.

— Se priver d'écouter cette musique serait bien regrettable, annonçai-je à la classe avant de commencer.

À ma grande surprise, les élèves écoutèrent ces chants profanes avec une attention qui me sidéra. Comme quoi la passion qui nous allume a un pouvoir illimité auprès des jeunes.

Je fis tourner le chœur de « Voici le cher printemps » à trois reprises dans le plus grand silence :

Voici le cher
et désiré
printemps qui ramène la joie ;
le pré s'empourpre
de fleurs
le soleil sourit sur toutes choses ;
déjà les chagrins se dissipent !
L'été revient,
maintenant finit
le cruel hiver.
Ah !

Après une analyse sommaire du poème, l'enseignant s'éclipsa soudainement de la classe pour faire place à l'homme grégaire que je devenais tous les printemps. Ceux de mon enfance et de mon adolescence s'étaient toujours passés sur la patinoire. Pourquoi en aurait-il été autrement à l'âge adulte ? Cette pratique était essentielle à ma vie intérieure. Les temps changent, mais l'homme reste toujours le même. Et les printemps ont toujours suscité des débordements de joie collective destinés à pallier la grisaille de la vie courante. En fait foi le comportement de l'homme dans les sociétés primitives où la fête, ponctuée de chants et de danses, servait à recréer l'univers après un interminable hiver. On pourrait d'ailleurs se demander à cet égard si l'émeute survenue au printemps 1955 au Forum de Montréal n'a pas été l'œuvre de quelques fêtards aux mœurs plutôt primitives…

Quoi qu'il en soit, aujourd'hui, le cœur était beaucoup plus à la fête qu'à la révolte. La table était mise. Il ne restait qu'à déguster le festin qui allait bientôt s'offrir à nos sens en ébullition. Les séries éliminatoires débutaient dans une dizaine de jours, et j'en avais déjà l'eau à la bouche.

Que la fête commence au plus vite ! Place à la venue du printemps qui unit le peuple québécois ! Place à cette fête populaire qui nous rassemble après qu'on a été si longtemps emprisonnés dans nos foyers ! Place aux excès et aux bombances de toutes sortes (sans pour autant sombrer dans la folie destructrice et primitive, bien sûr), que coule à flots la bière qui cimente nos liens fraternels tout en nous entraînant dans une douce folie libératrice ! Qu'importe l'étiquette du houblon, pourvu qu'on ait l'ivresse : les fans ont soif !

Cette année-là, la Sainte Flanelle roulait à un train d'enfer et éclipsait ses adversaires avec une facilité déconcertante. Le printemps s'annonçait fiévreux. Mon cœur commençait déjà à battre un peu plus fort.

Dès que je posai les pieds dans la maison, je m'empressai de sortir la statuette de tante Mignonne de sa boîte et l'exposai sur le téléviseur du salon pour la durée des séries éliminatoires.

Entracte

Je pénétrais dans l'aire de stationnement de l'école lorsqu'un homme, calepin à la main, se précipita brusquement sur moi.

— Vous êtes bien Monsieur Belzile ? me lança-t-il avec un accent très agaçant.

— Qui êtes-vous ? demandai-je en baissant lentement la glace.

— Je suis Steve Watson, journaliste au quotidien *The Gazette*, répondit-il en collant sa carte de presse plastifiée sur mon pare-brise.

— Qu'est-ce que vous me voulez ? répliquai-je en remarquant son foulard aux couleurs jaune et noir des Bruins de Boston.

— Vous poser quelques questions à propos des plaintes déposées par le comité de parents de votre école à la Fédération des institutions privées concernant les textes que vous avez distribués à vos élèves ces derniers jours, s'agita-t-il en sortant un stylo de la poche intérieure de son paletot.

— Qu'est-ce qu'ils ont mes textes ? coupai-je, rouge comme un coq.

— Le comité de parents les trouve tendancieux et vulgaires. De plus, vos textes véhiculeraient une image négative des Anglais auprès des jeunes francophones. Selon eux, votre conduite est indigne d'un enseignant professionnel, allégua le journaliste en ouvrant son calepin de notes.

— Va chez le diable ! Tiens ! Il est justement dans son bureau ! Comme elle est sûrement derrière toute cette histoire-là, la directrice va se faire un grand plaisir de te recevoir, vociférai-je en claquant ma portière si fort qu'elle avala d'un coup la glace.

En gravissant les marches de l'escalier extérieur, je fis un retentissant bras d'honneur au partisan des Bruins en lui parodiant cette phrase célèbre du poète Claude Péloquin :

— Vous êtes pas tannés de vous faire planter par le Canadien bande de caves ! Ça suffit !

Le lendemain matin, un entrefilet publié sous la rubrique éducative de *La Presse* relatait toute cette affaire. Le président de la Fédération des institutions privées, monsieur Jules Malenfant, eut donc le mandat d'expliquer ma conduite à la presse et de présenter ses excuses auprès des parents de l'école.

Incident isolé, plaida monsieur Malenfant. Lecture inadéquate pour de jeunes élèves dans un contexte d'apprentissage scolaire parce qu'elle véhicule une idéologie qui fait la promotion d'une nation par rapport à une autre. Erreur de jugement. Initiative malheureuse d'un enseignant inexpérimenté et exalté d'un fort sentiment nationaliste. On décréta l'incident clos. La direction de l'école sévirait prochainement.

Quelques jours plus tard, l'avis de recherche pour retrouver publiquement ma mère trônait au centre de la page des petites annonces près de la rubrique des collectionneurs. J'y vis une annonce d'un certain monsieur Robin Bouffard, propriétaire d'un magasin d'antiquités situé rue Saint-Paul, consacré exclusivement au hockey. Ce monsieur recherchait des cartes de hockey du début des années 1950. Il était prêt à débourser une somme importante pour obtenir, entre autres, la carte recrue de Jean Béliveau.

Je ne rêvais pas. Cette annonce me turlupina toute la journée. Une réponse positive à mon avis de recherche aurait été certes mon plus beau cadeau d'anniversaire, mais récupérer mes cartes de hockey s'avérerait un prix de consolation inestimable.

J'avais déjà élaboré un plan pour les regagner, car je demeurais toujours convaincu qu'une certaine sœur dépoussiérée les avait en sa possession. Une prémonition. Rien de plus. Je savais aussi comment j'emploierais cet argent. Il existait une personne qui le méritait plus que tout au monde.

Je rejoignis le collectionneur et lui expliquai mon histoire. Il m'écouta attentivement jusqu'au moment où la sonnette de la porte retentit inopinément. Je raccrochai aussitôt avec la promesse de le rappeler sous peu.

— Veuillez signer ici, Monsieur, m'indiqua le facteur avant de me remettre la lettre recommandée.

L'épée de Damoclès suspendue au-dessus de ma tête depuis quelque temps venait de finir par tomber.

Montréal, le lundi 4 avril 1977

Monsieur Belzile,

La direction de l'école La Résurrection a le regret de vous annoncer qu'elle désire, d'ici la fin du mois, mettre fin au contrat qui vous unit à elle.

Des présents distribués à de jeunes filles dans le cadre de vos cours et des gestes indécents posés envers celles-ci ont transgressé le code d'honneur de notre institution.

De plus, votre conduite libertine à l'extérieur est indigne d'un enseignant et s'avère un très mauvais exemple pour la jeunesse que l'on vous a confiée.

Aussi, le temps alloué au sport dans vos cours ne respecte pas le régime pédagogique que vous devez rigoureusement suivre.

Pour terminer, la plainte déposée par le comité de parents de l'école à la Fédération des institutions privées pour avoir fomenté la haine à l'égard des anglophones n'a fait qu'aggraver votre situation déjà très précaire.

Pour toutes ces raisons évoquées, nous croyons sincèrement que vous n'avez plus votre place au sein du corps professoral de l'école La Résurrection. D'ici votre départ, nous vous demandons d'éviter de vous retrouver seul en présence de jeunes demoiselles.

Il en va de l'intérêt de tous.

Veuillez accepter, Monsieur, l'expression de mes salutations distinguées.

Constance Sainphard
Directrice de l'école La Résurrection

Pour la première fois de ma vie, la fièvre printanière connut ce jour-là une baisse de température drastique.

Certes, Sainte Flanelle, gagnez encore et toujours pour nous ! Mais, à l'heure actuelle, il y avait plus une victoire personnelle à remporter qu'une victoire impersonnelle à espérer !

Je pris bien soin d'ébruiter la mauvaise nouvelle. Mon être, qui habitait un volcan en dormance depuis très longtemps, se réveillait lentement. Les prochains jours s'annonçaient volcaniques et l'éruption risquait d'être aussi destructrice que celle de l'île de Santorini.

Dès que je croisai le président du syndicat, je lui remis la missive diffamatoire. Napoléon Branconnier me conseilla fortement de me reposer à la maison quelques jours, le temps de laisser retomber la poussière. Surtout d'éviter de faire des vagues qui ne feraient qu'empirer la situation.

— Cette femme s'acharne injustement contre toi. Sois sans crainte ! Elle ne l'emportera pas au paradis ! fulmina-t-il en utilisant son expression favorite.

Cet ancien frère mariste était le Robin des bois du corps enseignant. Il avait fait de la convention collective son nouveau catéchisme, dont il ne se départait pratiquement jamais, au point qu'il n'aurait pas été surprenant de la retrouver sur sa table de chevet.

La moindre entorse à notre contrat de travail et la moutarde lui montait aussitôt au nez, qu'il fourrait d'ailleurs un peu partout.

Or, devant la menace d'un grief qu'il brandit à la figure de la directrice, cette dernière rentra temporairement ses griffes.

Le petit général m'exhorta à la plus grande discrétion : le moment de la contre-attaque pouvait encore attendre. Je mis donc un frein à mon trop-plein d'énergie et reportai l'envie de fourrer sous le nez de Constance Sainphard les articles de journaux relatant son départ en mission étrangère.

J'en glissai plutôt un mot à mon confrère, qui se délecta en parcourant les événements dramatiques survenus au Jardin de l'Enfance au mois de juin 1962.

— Tu aurais dû m'en parler avant, s'offusqua Napoléon en m'arrachant les articles des mains.

Je reconnaissais facilement la bête furieuse toujours prête à mordre la chair tendre.

— Ça va nous donner une preuve morale pour ajouter au dossier que le syndicat est en train de monter pour la faire virer par le Conseil d'administration de l'école, m'avoua Napoléon en se frottant les mains.

— De quoi s'agit-il ? demandai-je en esquissant un air jouissif.

— Nous la croyons coupable de malversation, mais il nous manque des preuves pour l'accuser. Son expulsion de l'ordre des Sœurs de la Providence me laisse croire qu'elle n'a pas l'intégrité requise pour diriger cette école. Elle n'est peut-être pas étrangère aux événements tragiques qui se sont produits au Jardin de l'Enfance. Qu'est-ce que tu en penses ? me lança-t-il rudement.

— On pourrait s'en servir comme monnaie d'échange et exiger que les accusations portées à mon endroit soient levées et mon contrat renouvelé pour l'an prochain.

— Non ! Non ! L'occasion est trop belle pour la laisser s'envoler ! Si on s'en débarrasse rapidement, ta lettre de renvoi devient alors caduque. Écoute ! On a une réunion du conseil dans une semaine et il faudrait que tu y assistes ! Tu pourras alors raconter à l'exécutif tes découvertes sur son passé. Je demanderai à ce moment-là une motion de blâme à son endroit, me suggéra le président du syndicat.

— Attends ! Ne fais rien sans m'en parler ! Tiens ça mort pour l'instant ! Je vais y penser d'ici là !

— Réfléchis pas trop, Clément ! C'est une occasion en or de lui faire lever les pattes ! me conseilla-t-il en me remettant brusquement les articles de journaux.

Je me mordais les doigts d'avoir ouvert mon jeu aussi facilement. Napoléon avait tout de suite flairé la bonne affaire pour servir les intérêts de la collectivité, qu'il gérait d'ailleurs comme sa propre famille.

Or, c'était beaucoup plus une partie qui se jouait entre Constance Sainphard et moi. Une lutte à finir entre la noirceur et la clarté ; entre le mensonge et la vérité. Je voulais sa peau ; elle voulait la mienne.

Que ce jour sera beau lorsque je débarquerai tambour battant dans son bureau pour lui jeter à la figure son passé abject et la regarder ramper comme un ver de terre me suppliant, larmoyante, de l'épargner !

Ce fantasme me hantait fréquemment ! Mais pas autant toutefois que ce terrible cauchemar qui se répéta plusieurs fois au cours de la semaine.

Je parviens par un astucieux stratagème à retenir l'ascenseur au premier étage en empêchant la porte du dernier étage de se fermer hermétiquement. Constance Sainphard a souvent affaire au cinquième étage pour épier le professeur d'arts plastiques. Comme l'ascenseur qu'elle attend n'arrive pas, elle s'impatiente et ouvre la porte afin de voir ce qui retarde la course de la boîte métallique. Tapi derrière une colonne, je me précipite alors avec une rage démentielle et lui assène au derrière un violent coup de pied qui la catapulte dans le vide. Durant sa descente aux enfers, elle pousse un cri épouvantable qui me réveille chaque fois.

Période de prolongation

L'acharnement téléphonique de monsieur Robin Bouffard m'obligea à partir sans plus tarder à la recherche de mes cartes de hockey.

Dès que Constance Sainphard éteignit les lumières de son bureau, je me planquai subrepticement derrière mon journal et attendis avant de démarrer. Ma filature fut de courte durée et s'arrêta aux abords de la rivière des Prairies dans le quartier Ahuntsic.

Elle habitait le 10 822 de la rue Grande-Allée dans une somptueuse résidence en pierre des champs. La toiture ainsi que les fenêtres semblaient avoir été récemment rénovées. Je ne pouvais oublier les belles promesses administratives annoncées en pompe en début d'année pour refaire la toiture de l'école et changer les fenêtres, dont plusieurs étaient toujours condamnées. Les doutes émis par Napoléon à l'endroit de la directrice n'étaient peut-être pas si farfelus : la bibliothèque de l'école était presque vide et les classes souvent glaciales.

Je garai ma voiture près d'une ruelle exiguë et marchai rapidement jusqu'à la cour arrière où deux énormes érables empêchaient toute lumière de pénétrer. Une lumière pâlotte scintillait au-dessus d'une porte qui menait directement au sous-sol. Si je voulais offrir à Geneviève ce dont elle rêvait depuis des lunes, je n'avais pas le choix de solliciter l'aide de mon ami qui faisait valser jadis les rossignols sans coup férir.

L'article six de la Charte des droits et libertés de la personne justifiait ma décision : toute personne a droit à la jouissance paisible et à la libre disposition de ses biens. Ces cartes m'appartenaient toujours, même si l'article huit interdisait à toute personne de pénétrer chez autrui et de prendre quoi que ce soit sans son consentement.

Or, je n'avais ni l'adresse ni le nom du commerce de Francesco, mais je me rappelais que Victor lui avait déjà rendu visite dans le quartier de la Petite-Italie. Avant de partir à la recherche de mon ami d'enfance, je trouvai au fond du coffre de cèdre l'argument ultime pour le convaincre de s'introduire par effraction chez la directrice. Restait à savoir si le jeu en valait la chandelle.

Je m'arrêtai au Caffé Italia pour siroter le meilleur cappuccino en ville et mêlai ma voix aux nombreux *tifosi* rivés à l'écran pour encourager La Juventus de Turin, le club le plus populaire du monde.

Au printemps, c'était tout Montréal qui dansait sur les pistes de danse de la Catherine et de la Main !

Ici, Sainte Flanelle, gagnez pour nous !
Là-bas, Sainte Juventus, gagnez pour eux !

Partout et toujours cette même incantation libératoire !

— Vous savez où je peux trouver un serrurier dans le coin ? demandai-je au serveur en réglant l'addition.

— C'est facile ! C'est à côté ! Descends ici, prends Dante jusqu'à Saint-Dominique ! C'est juste de biais avec la quincaillerie, me répondit Casanova en gesticulant comme un chef d'orchestre.

Une gigantesque clé de bois ouvragée pendait au-dessus de la porte d'entrée. Dès que j'en franchis le seuil, j'entendis le tintement d'une clochette et un homme joufflu sortit de l'arrière-boutique en essuyant ses mains huileuses sur son tablier noirci par le labeur.

Les bonnes pâtes italiennes avaient drôlement gonflé la taille de mon camarade, jadis maigre comme un clou.

— Qu'est-ce que je peux faire pour toi ? s'enquit le serrurier, que je reconnus aussitôt à son sourire espiègle.

— Mon ami aurait besoin de cette clé pour descendre à la cuisine durant la nuit pour nourrir les ventres affamés de jeunes orphelins, fis-je en feignant de sortir une clé de mon trousseau.

Il ne nous en fallut pas plus pour nous étreindre chaleureusement, comme lorsque nous jouions sur la patinoire extérieure de l'orphelinat.

Après les « Es-tu marié ? », « As-tu des enfants ? », « Suis-tu encore le Canadien ? », « J'aurais jamais cru te revoir ! » et les nombreux souvenirs liés à notre passé vécu à l'orphelinat, j'en vins finalement aux faits et à la raison de ma visite :

— Je suis tombé par hasard, le jour de ma fête, sur une petite annonce du journal, qui m'a tout de suite attiré. Imagine-toi donc qu'un collectionneur recherche des vieilles cartes de hockey et se dit prêt à payer un très bon prix pour les obtenir, confiai-je à mon ami d'entrée de jeu.

— Dis-moi pas, Clément, que tu penses encore à tes cartes de hockey ! déclara Francesco en me dévisageant drôlement.

— Je suis très sérieux ! Francesco, j'ai besoin de cet argent au plus vite ! Tout me porte à croire que la sœur qui me les a volées pourrait encore les avoir chez elle, avouai-je en le regardant droit dans les yeux.

— Mais pourquoi avoir pensé à moi ? Je ne suis pas un voleur ! As-tu imaginé ce qui arriverait si je me faisais pincer ? Ma famille ! Mon commerce ! Non ! Je ne peux pas ! C'est trop risqué !

— Francesco, tu es le meilleur pour faire chanter le rossignol ! Avec toi, c'est sans danger ! Et qui te parle de voler ? Tu ne fais que récupérer un bien qui m'appartient ! C'est tout !

— Qu'est-ce qui te fait croire qu'elle a encore tes cartes après toutes ces années ? C'est impossible, voyons ! Sois réaliste ! soupira mon ami en me prenant par l'épaule.

— Pas si impossible que ça, mon vieux ! Quand j'y ai fait allusion l'autre jour dans son bureau, elle m'a immédiatement montré la porte ! C'est tout dire ! Non ?

— Ça ne prouve absolument rien ! Écoute, Clément, j'aurais aimé te rendre service, mais…

— Attends ! Bouge pas ! J'ai quelque chose qui pourrait peut-être te faire changer d'idée, coupai-je vivement en sortant, de mon sac de plastique, mon chandail tricolore autographié par son idole d'enfance.

— Tu es malade ! As-tu perdu la raison ? Et si je ne trouve rien ? s'inquiéta Francesco.

— Tu le garderas en souvenir de notre amitié à l'orphelinat !

— Donne-moi son adresse et je te rappelle le plus vite possible, lança l'Italien en serrant la laine de la Sainte Flanelle contre lui.

Sur le chemin du retour, je pensai à tante Mignonne, qui avait méticuleusement cousu le numéro quatre derrière ce petit chandail bleu-blanc-rouge. Cette laine avait été durant de longues années le soleil qui me réchauffait le cœur lorsque j'avais froid.

Si j'avais décidé ce jour-là de m'en départir aussi facilement, c'était parce que je désirais ardemment réchauffer celui de ma bien-aimée.

De retour au boulot, Napoléon Branconnier ne rata pas l'occasion de me rafraîchir la mémoire en me rappelant la réunion à laquelle il tenait absolument à me retrouver. Il demeurait persuadé que mes révélations ébranleraient madame Sainphard au point de la faire tomber de son socle.

Je ne répondis rien.

J'étais camouflé derrière le cahier des sports de *La Presse,* que j'épluchais lentement. J'étais avant tout préoccupé de lire ce que les journalistes chevronnés avaient tartiné la veille sur le drame qui allait se jouer en soirée au Forum de Montréal.

La presse montréalaise relatait le vent de folie qui balayait la ville durant cette période de l'année. Un vent parfois si intense qu'on aurait même surpris des fidèles de la Sainte Flanelle en train de gravir à genoux et les bras en croix les marches de l'oratoire Saint-Joseph. Certains auraient été aperçus en train d'y allumer des lampions sous l'œil amusé du frère André, le Maurice Richard de la foi catholique.

Les propos des chroniqueurs sportifs tenaient en haleine les plus mordus. Est-ce que les vieilles rancunes nourries lors des rencontres précédentes engendreront de sanglantes querelles ? Est-ce que l'arbitre de faction saura montrer une fermeté inflexible ? Est-ce que ce premier match de la série contre les Bruins de Boston deviendra le prélude d'une longue bataille ? Est-ce que les instructeurs parviendront à ériger des systèmes de jeu appropriés aux circonstances ? Est-ce que la finesse et l'intelligence de certains prédomineront sur l'attitude machiavélique d'adversaires peu scrupuleux des règles de l'art ? Que d'interrogations qui mettaient sur le qui-vive les plus fidèles partisans.

J'étais l'un de ceux-là. Quand j'étais dans cette bulle, il n'y avait rien au monde pour m'en sortir.

Cette même bulle éphémère où se retrouvaient tous les printemps des êtres humains soudés librement les uns aux autres. Un père et son fils, un petit-fils et son grand-père, un neveu et son oncle, un élève et son maître. Et, demain, sans distinction de sexe, de race, de religion et d'orientation sexuelle, se produirait une communion collective sans aucune discrimination. Tous unis pour une même cause, pour ne devenir qu'UN : suivre les péripéties des séries éliminatoires jusqu'à la conquête de la Coupe Stanley par le Canadien.

À une plus grande échelle, le sport favorise aussi le rapprochement des peuples hostiles et le hockey n'est pas étranger à cette fraternité passagère.

Ainsi, la *Série du siècle* de 1972 s'est inscrite dans un climat de détente dans les relations américano-soviétiques. La *diplomatie du hockey* a joué un grand rôle au cours de la guerre froide. Ce qui fit dire au gardien russe, Vladislav Tretiak, qu'il valait mieux se rencontrer sur une patinoire que sur un champ de bataille.

Le sport ne déclenche pas de guerre ni n'apporte la paix. Il ne règle pas tout. En ce qui me concerne, je n'avais toujours pas trouvé de terrain d'entente qui me rapprocherait de ma pire ennemie. Au contraire, le sport créait plutôt entre nous un gouffre sans fond rendant toute réconciliation utopique. On pouvait parler ici d'une guerre polaire. Sans possible réchauffement. Même avec une chaude flanelle tricotée serrée.

— N'oublie pas ! On compte sur toi, insista le petit général en abaissant mon journal.

L'aide offerte par Francesco la veille m'avait rendu fébrile, même si le ton grave et sérieux adopté par mon ami laissait présager qu'il avait fait long feu. Je me trouvai bête et idiot d'avoir cru que Constance Sainphard pouvait encore avoir en sa possession des cartes de hockey fossilisées. Ma grande naïveté me jouait encore de mauvais tours. J'avais un corps d'homme chapeauté par une tête d'enfant.

Le temps était venu de tourner définitivement la page et d'oublier ce passé qui obscurcissait trop souvent mes pensées. J'étais surtout chagriné à l'idée de remettre aux calendes grecques ce que je voulais offrir à Geneviève pour son trentième anniversaire de naissance.

« Ce n'est que partie remise », me dis-je en garant ma voiture dans la rue Mozart.

J'avais à peine franchi le seuil de la porte qu'un fumet des plus émoustillants m'attira vers la cuisine où une belle Italienne racée s'affairait aux casseroles. Je comprenais désormais pourquoi la taille de mon ami avait pris des proportions aussi gargantuesques.

Une importante proéminence abdominale chez son épouse signalait la venue prochaine d'un premier enfant. Le premier verre de vin fut d'ailleurs levé à la santé du futur *bambino*, tandis que les autres chiantis chassèrent lentement la face de carême qui m'avait accueilli plus tôt.

Nos souvenirs de l'orphelinat amusèrent Claudia jusqu'au moment où il fut question de la partie de hockey, ce qui la fit bayer aux corneilles.

Vers vingt heures, Francesco m'invita à prendre le digestif au salon.

Quand il vint me rejoindre, il tenait dans une main une bouteille d'Amaretto et dans l'autre une petite boîte de métal aux couleurs pastel de la compagnie de cigarettes Player's.

— Hein ! C'est pas vrai ? hurlai-je en me levant d'un bond comme si une punaise avait été déposée sur mon fauteuil.

— Pourquoi tu m'as rien dit au téléphone ? Toujours aussi farceur, l'Italien ! Tu m'as bien eu ! Espèce d'oiseau de malheur ! Montre-moi ça tout de suite ! Ça presse !

— Pas trop fort ! Claudia pourrait nous entendre ! chuchota Francesco.

— C'est un vrai miracle ! Je ne peux y croire ! Je me les rappelle toutes ! Regarde celle-ci, puis celle-là ! Tiens ! C'est lui qui a donné la coupe en prolongation ! Ah ! Voilà la carte recrue de notre joueur ! Celle-là vaut très cher ! Francesco, tu es un as ! Je le savais que tu les trouverais, murmurai-je à son oreille en le serrant contre moi.

— Pourquoi veux-tu les vendre ? demanda-t-il en m'offrant un verre.

— Je tiens à souligner l'anniversaire de Geneviève avec éclat ! Elle le mérite bien pour avoir enduré un fou comme moi durant toutes ces années ! Je lui dois tout ! avouai-je, la gorge nouée par l'émotion et les effets euphorisants de l'alcool.

— Qu'est-ce que tu veux…

— Oublie ça ! Faut pas vendre la peau de l'ours avant de l'avoir tué ! En parlant d'ours, allume donc la télé ! La partie commence dans deux minutes ! ordonnai-je, déjà gagné par la nervosité.

Contre toute attente, le Canadien de Montréal joua l'une de ses pires périodes de l'année, au point que les « Oursons » de Boston menaient par quatre buts après la première période. C'est sous les huées bien nourries d'une foule en colère que les joueurs du Tricolore retournèrent à leur vestiaire.

Lorsque Claudia fit irruption au salon avant d'aller au lit, elle se crut un instant, à voir nos mines lugubres, au salon funéraire.

— Penses-tu qu'ils vont revenir ? me demanda Francesco en articulant péniblement.

— Avec la Sainte Flanelle, on ne sait jamais ! Je garde toujours espoir ! Cette équipe a fait tellement de retours miraculeux dans le passé ! affirmai-je en replaçant minutieusement mes cartes dans la boîte.

— As-tu toujours l'espoir de retrouver ta mère un jour ? balbutia l'Italien.

— Pourquoi tu me demandes ça pendant le hockey ? rétorquai-je sèchement.

— Parce que tu me parles d'espoir !

Le Canadien entreprit la deuxième période à fond de train et réussit en l'espace de quelques minutes à réduire l'avance des visiteurs à un seul but. Guy Lafleur contribua grandement à ce sursaut en marquant deux buts spectaculaires.

Une fois encore, rien n'était perdu !

— Je dois t'avouer que je pense souvent à elle, surtout quand le Canadien parvient à nous surprendre ! La Sainte Flanelle nourrit encore et toujours mes espoirs !

— Comme ce soir ? coupa-t-il froidement.

— Comme ce soir ! répétai-je en dodelinant de la tête.

Une bourde monumentale commise par le cerbère tricolore en début de troisième période sema la consternation dans l'assistance et nous plongea soudainement dans le plus grand désarroi.

Mais, à la dixième minute de jeu, l'espoir réapparut grâce à l'intervention divine des Fantômes du Forum.

Et quelques minutes plus tard, la chance sourit encore au Tricolore lorsque, avec un peu plus d'une minute à jouer à la rencontre, les visiteurs furent punis pour leur innommable tricherie : ils avaient envoyé un joueur de plus sur la patinoire.

Crinière au vent, le Démon blond s'élança alors et tira un boulet de canon qui se faufila habilement entre les jambières du gardien de but totalement médusé.

La lumière rouge scintilla et le toit du Forum faillit s'arracher tellement la clameur fut puissante. Dans le salon italien des Castillo, le but égalisateur provoqua une euphorie en sourdine. Par contre, durant la période de prolongation, nous fûmes incapables d'étouffer nos hurlements frénétiques lorsque la Sainte Flanelle exécuta à nouveau un retour miraculeux !

Après ce sursaut de bonheur inespéré, nous regagnâmes lentement nos fauteuils.

Francesco demeura muet durant quelques minutes. Il comprenait bien ce que je ressentais en pareilles circonstances. Il s'étira longuement comme un chat et je compris que le sommeil l'avait gagné, à moins que ce ne fût l'abus d'alcool. Quand il se leva pour me signaler la fin de notre rencontre, son visage se rembrunit gravement, comme si le Canadien avait subi la défaite.

Au moment de se quitter, Francesco sortit de la bibliothèque une grande enveloppe brune décachetée.

— J'ai trouvé ça aussi avec les cartes dans la valise. Je l'ai prise en pensant que ça pourrait peut-être t'intéresser, me confia mon ami en fuyant mon regard.

Nous nous séparâmes avec le souhait de nous revoir bientôt.

— Fais-moi signe quand Claudia aura accouché, criai-je en déverrouillant la portière.

Aussitôt assis, je m'empressai d'ouvrir l'enveloppe sous les branches d'un chêne séculaire entre lesquelles s'insinuait la lumière tremblotante d'un lampadaire.

L'en-tête de la lettre me fit écarquiller les yeux : HÔPITAL GÉNÉRAL DE LA MISÉRICORDE.

Je fus plongé précipitamment dans le passé, revoyant le jour où madame Gertrude Joubert me narra les circonstances de ma naissance.

Une idée horrible m'effleura alors l'esprit. Je tentai de la chasser comme un moustique nuisible mais en vain. Cette idée fixe continua à me tourmenter et à zigzaguer tous azimuts dans ma tête jusqu'au moment où elle se posa et infligea à mon cœur une piqûre mortelle.

Sous l'en-tête gothique, j'aperçus le nom de la mère tapé à la machine à écrire.

Un feu dévorant circula dans mes veines et ma vue s'embrouilla tellement que les petits caractères noirs semblaient des mouches en délire. Je posai ma main sur mon cœur de peur qu'il ne s'échappe de sa cage.

— Ça ne se peut pas ! C'est impossible ! Dites-moi que je rêve quelqu'un ! hurlai-je à pleins poumons en me frappant la tête si fort contre le volant que je m'infligeai une profonde entaille sur le front.

Le sang qui ruisselait le long de mes joues me paralysa instantanément !

J'étais soudé à mon siège. Immobile. Incapable du moindre battement de paupières. Je n'y voyais plus clair ! Je n'entendais plus rien ! Je respirais difficilement ! J'agonisais presque !

Étais-je entré en collision avec un camion-citerne ? M'étais-je endormi ? Avais-je trop bu ? Avais-je bien bouclé ma ceinture avant de démarrer ? Tout ce sang sur ma chemise. Je délirais confusément, en proie à la panique. Je me sentais défaillir lamentablement.

Mes forces déclinèrent jusqu'au moment où ma main tremblante abaissa entièrement la glace. L'air frais qui envahit alors l'habitacle me revigora comme les sels ressuscitant le boxeur parti dans l'au-delà.

Je respirai profondément pour m'assurer que j'étais encore de ce monde. Le bruit sourd de mon cœur dans ma poitrine me le confirma. Encore étourdi, je parvins à dénicher sous mon siège un morceau de guenille qui freina l'écoulement sanguin. Je me risquai à me regarder dans le rétroviseur et y aperçus un homme présentant une physionomie empreinte d'une profonde horreur.

Je me reconnus à peine.

Était-ce bien moi, ce même homme qui jubilait dans les bras de son ami quelques minutes auparavant ?

À ma grande satisfaction, je recouvrai lentement mes esprits. Mes pulsations cardiaques retrouvèrent leur rythme de croisière et je fus d'attaque pour parcourir le contenu du dossier médical. Des sueurs au front, la rage au cœur, je retirai le dossier de l'enveloppe avec la délicatesse du démineur craignant qu'un explosif lui saute à la figure. J'épluchai péniblement le dossier de l'accouchement, qui corroborait exactement les propos de madame Joubert.

Une minute plus tard, j'arrivai finalement à la délivrance de l'enfant dont les données médicales hérissèrent comme des lance-missiles les poils de mes bras.

ENFANT, DATE DE NAISSANCE : *le 27 mars 1947*
HEURE : *12 heures 38 minutes*
SEXE : *masculin*
APPARENCE : *excellente*
RESPIRATION : *normale*

Je balançai l'enveloppe brune sur le siège arrière. J'hésitais à démarrer. J'étais en quête de sens, vissé à mon siège. J'avais suivi l'itinéraire tracé par les voies du destin, mais jamais, au grand jamais, je n'aurais imaginé que la route puisse être aussi tortueuse et meurtrière. Il eût peut-être mieux valu ne jamais emprunter cette route dont tenta de me détourner obstinément mon ami Victor, mais le ressentiment et la soif de vengeance m'avaient autant aveuglé que le flash de son appareil photo… Homme d'honneur, Victor avait bien su garder jusqu'à la toute fin le secret dévoilé par Camille Brillon.

Or, nous avions toujours été à des années-lumière l'un de l'autre et ce n'était pas cette macabre découverte qui allait nous rapprocher. Je ne pouvais tout de même pas me jeter demain au cou de celle que j'aurais voulu égorger la veille.

Dès nos premières rencontres, nos corps s'étaient tordus de douleurs toutes les fois qu'ils s'étaient croisés. Nous nous étions toujours flairés comme des bêtes étrangères. Ce que nous avions toujours été en réalité. Incapables de se sentir. De se humer. Encore moins de s'aimer.

Toujours insensible à l'odeur de ce corps pourtant si près, si près naturellement. En enfantant, la mère laisse toujours un doux parfum d'origine à son enfant.

La découverte de l'identité de ma mère, au lieu de me réjouir le cœur, m'avait plongé dans un gouffre profond. Et la victoire miraculeuse de la Sainte Flanelle n'arriverait pas à me faire remonter à la surface. Autrefois, elle avait cristallisé toutes mes énergies et ravivé tous mes espoirs. J'étais persuadé de retrouver la mère aimante et affectueuse qui m'avait tant manqué. J'avais cru sincèrement que je n'avais pas été rejeté de son cœur ; qu'elle serait heureuse de serrer dans ses bras l'enfant qu'on lui avait cruellement volé ; qu'elle vivrait le plus beau jour de sa vie en me retrouvant. Or, je réalisais ce soir que j'étais bien loin du paradis auquel je m'attendais. J'avais rêvé de trouver un ange, mais c'est plutôt le diable qui m'était apparu. J'avais retrouvé ma mère, certes, mais je concevais plutôt cet événement comme un cuisant revers étant donné notre aversion mutuelle.

Comment avais-je pu me persuader de la bonté et de la générosité d'une femme que je n'avais jamais croisée ? Rien pourtant ne laissait présager une rencontre heureuse. Mes espoirs chimériques ne valaient guère mieux que ceux des dévots gravissant péniblement les marches de l'oratoire Saint-Joseph afin d'obtenir des faveurs providentielles. Comment avais-je pu être aussi bête ?

Cette question me perturba durant de longues secondes. Je baissai lentement la glace et pris une bouffée d'air frais pour m'aérer les esprits lorsque je fus soudainement ébloui par la lumière d'une lampe de poche très puissante.

— Vous avez les yeux rouges, Monsieur. Est-ce que vous auriez bu ? me demanda un jeune policier immatriculé 1080.

— Un peu, mais ça fait longtemps… Non, les yeux rouges, c'est plutôt une mauvaise nouvelle que je viens d'apprendre, répondis-je en tentant d'esquiver avec mon avant-bras le faisceau lumineux.

— Vous n'avez pas l'air dans votre assiette… Descendez de votre véhicule immédiatement, nous allons vérifier si vous avez les facultés affaiblies, m'ordonna l'agent Trudel en ouvrant lui-même la portière.

Son acolyte m'intima l'ordre de marcher sur la ligne blanche. Sous l'œil aguerri du policier Trudel, je m'exécutai avec l'assurance de Nadia Comaneci sur la poutre d'équilibre. Ma performance quasi parfaite le sidéra complètement. Il me demanda ensuite de regagner mon véhicule et d'attendre encore quelques minutes avant de redémarrer. Mais cette brève escapade à l'air frais m'avait déjà drôlement ragaillardi.

— C'est malheureux qu'il n'existe aucun test pour mesurer le déséquilibre émotif des gens troublés, lançai-je au policier en remontant la glace.

Confortablement installé derrière mon volant, je repris le fil de mes idées. Je m'en voulais d'avoir nourri pendant si longtemps pareilles chimères. Tout laissait croire que l'endoctrinement auquel j'avais été soumis durant mon enfance avait laissé de profondes cicatrices. Si nous avons chassé tous les crucifix de la province, ce n'est certainement pas pour les remplacer par des statues drapées de la flanelle tricolore ! Quand la Sainte Flanelle éternuait, c'est tout le Québec qui attrapait le virus. Il pouvait cependant s'avérer toxique pour certains. Sainte Flanelle, délivrez-nous du mal !

Je comprenais maintenant beaucoup mieux les effets pervers de ma passion ; passion dévorante par moments et qui m'avait complètement aveuglé. Lorsque le spectateur découvre toutes les subtilités de l'illusionniste, la magie n'opère plus, et il se réveille brutalement. Ce soir, dans l'isolement de ma voiture, je me sentais comme ce spectateur profondément désenchanté…

Non ! La Sainte Flanelle n'était pas une religion, même si elle en présentait bien des aspects ; les rêves et les espoirs qu'elle suscitait ne nous immunisaient pas contre les vicissitudes de la vie non plus qu'ils ne nous garantissaient le paradis. Les Richard, Béliveau et Lafleur n'étaient pas des dieux ni des êtres suprêmes. En cela, la Sainte Flanelle ne pouvait être une religion. Au mieux, ces hommes mortels ne faisaient qu'engourdir notre mal de vivre durant une très courte période, parce que nous les avions investis, à leur insu, de cette mission : pallier nos faiblesses.

Sainte Flanelle, épargnez-nous de tous ces discours des médias qui contribuent à fabriquer le mythe du héros sportif sans peur et sans reproche ! Sainte Flanelle, soulagez-nous de tous ceux qui radotent *ad nauseam* les mêmes commentaires mortifères sur des événements archiconnus ! Sainte Flanelle, protégez-nous des malins opportunistes, des vendeurs du temple et des imposteurs de tout acabit !

Au début de la nuit, après de longues heures prisonnier de mon cocon métallique, je m'extirpai enfin pour respirer à pleins poumons. Ce fut comme une seconde naissance.

À mon retour, dès que je posai les pieds dans le salon, je m'empressai de fourrer la statuette à mon effigie dans sa petite boîte. Au petit matin, lorsque je retirai le journal de la boîte aux lettres, j'observai le jeune éboueur tatoué broyer mon passé parmi les immondices malodorantes.

À la première période du matin, le cours de grammaire prit une tournure tout à fait inattendue lorsqu'un élève me posa une question incongrue.

— Monsieur, comment avez-vous trouvé *mon* joueur hier soir ? s'enquit celui qui était passé maître dans l'art de me faire changer le cours de mon enseignement.

Je ne m'offusquai point de son intervention et tombai librement dans le panneau. Je déposai ma craie et m'assis, à ma façon coutumière, sur le coin de mon bureau. Les élèves perspicaces comprirent alors que je n'étais pas du tout fâché d'avoir l'occasion de donner différemment ma leçon sur les possessifs, qui sinon aurait été barbante.

— Mais ce joueur ne t'appartient pas du tout ! Il n'appartient d'ailleurs à personne ! Qu'est-ce qui t'autorise à te l'approprier ainsi ?

L'élève, bouche bée, me regarda singulièrement en fronçant les sourcils.

— Je crois deviner que Lafleur occupe une grande place dans ton cœur. L'adjectif possessif « mon » que tu emploies signifie que tu privilégies ce joueur par rapport aux autres. C'est une façon simple de te rapprocher de lui et d'entretenir une relation sincère. On peut donc affirmer que la grammaire nous révèle parfois des secrets intimes sur notre vie affective, fis-je en posant ma main sur mon cœur.

Mes explications le laissèrent pantois. Je savais bien que ce n'était pas ce qu'il attendait de moi. Mais, ce matin, l'occasion était trop invitante pour la décliner.

Or, ce qui valait pour lui valait aussi pour moi.

Pour la première fois de ma vie, je pris conscience de la valeur émotive de cette particule grammaticale anodine. Le « mon » ou le « ma » qui accompagnait le mot lui donnait une tout autre signification.

Ce n'était plus *sa* mère; ce n'était plus *ta* mère; c'était désormais *ma* mère. En soudant cet adjectif possessif au nom « mère », je marquais le caractère unique de ma relation avec cette femme qui n'était plus une étrangère. Peu importait le statut de notre relation, j'avais, moi aussi, une mère que je connaissais, même si je ne l'avais jamais touchée; que je voyais, même si je ne l'avais jamais regardée; que j'entendais, même si je ne l'avais jamais écoutée.

Je savais désormais d'où je venais, je saurais maintenant où aller. Je pouvais enfin mettre un visage, si austère soit-il, à un nom demeuré longtemps abstrait. Constance Sainphard resterait toujours une *matriochka* à l'intérieur de laquelle la directrice s'emboîtait dans la sœur, et la sœur s'emboîtait dans la mère. Comme toutes les poupées, elle était sans âme!

Quand le son du timbre retentit, j'effaçai le tableau, mais en contournant habilement l'adjectif « ma ». Je le laissai fin seul au centre du tableau noir comme une île déserte au cœur de l'océan. Perdu. Jamais un pont ne serait assez long pour la relier à la rive.

Je n'avais pas aussitôt retiré la clé de la serrure de ma classe que Napoléon m'aborda rudement.

— N'oublie pas! C'est ce soir qu'on lui fait sa fête! On compte sur toi! me lança-t-il sur un ton vindicatif.

— Je n'y serai pas! répliquai-je vivement.

— Comment ça? fulmina Napoléon.

— Je n'y serai pas! Un point c'est tout! répétai-je, impatient.

— Et… pour quelle raison?

— Pourquoi? Parce que cette femme… est… MA… mère, balbutiai-je en devenant rouge comme le chandail de la Sainte Flanelle.

Le choix des trois étoiles

J'avais donné rendez-vous à monsieur Robin Bouffard au restaurant Dan Giovani, à deux pas du disquaire Archambault. Je trouvai cocasse de me retrouver tout juste en face du vaste quadrilatère où avait été érigé le couvent des Sœurs de la Providence et sur lequel ma mère avait élu domicile trente années auparavant.

Mon intention était claire. Je vendais toutes mes cartes et j'offrais à Geneviève pour son anniversaire un séjour à Leningrad où elle pourrait enfin visiter le célèbre Musée de l'Ermitage dont elle rêvait depuis des années.

Si Maurice Richard avait récolté les trois étoiles après un match disputé au Forum de Montréal au printemps 1944, ma femme méritait pareil honneur pour avoir été la coéquipière la plus solidaire au cours de mon aventure déroutante.

Or, le collectionneur se présenta avec quelques minutes de retard et, comme je souffrais d'inanition, je dévorai en un temps record la meilleure pizza en ville. Il avait été convenu qu'il porterait une tuque tricolore et qu'une écharpe aux couleurs du Canadien pendrait à mon cou.

C'est donc sans difficulté que nous nous reconnûmes.

Derrière des lunettes épaisses comme des baies vitrées s'ouvrirent des yeux calculateurs à la vue des précieuses cartes. La partie n'était pas gagnée. Il se montra un adversaire redoutable. Après plusieurs tractations stériles, nous parvînmes enfin à nous entendre malgré le fracas de la vaisselle.

Je demandais trois mille dollars ; il m'en offrait mille. Nous bâclâmes finalement la transaction à mi-chemin. Je brûlais d'impatience de passer à l'agence de voyages.

Le 19 avril, j'invitai Geneviève au restaurant Troïka de la rue Crescent pour souligner l'événement. Des airs folkloriques russes interprétés par le chœur de l'Armée rouge jaillissaient des quatre haut-parleurs suspendus aux coins de la salle à manger décorée d'une vaste collection de samovars et de balalaïkas. Ces magnifiques voix graves sorties directement des entrailles de la terre me touchèrent profondément.

Je me sentis soudainement dans le même état de surexcitation que le soir où mon père avait retiré de sa poche une paire de billets de hockey.

Je tremblais comme un jeune marié. Tout à coup, ma main heurta par inadvertance un chandelier de cuivre jaune, qui vacilla et faillit noircir la nappe de dentelle blanche. Le serveur me dévisagea sombrement.

La main douce de Geneviève posée sur la mienne m'apaisa quelque peu.

Entre un plantureux bortsh et un koulibiac, je plongeai lentement ma main à l'intérieur de mon veston et en sortis une paire de billets d'avion sur lesquels étaient inscrits en gros caractères : « AÉROFLOT ».

— Mais tu es complètement fou ! Ça coûte une fortune ! Où as-tu trouvé l'argent ? me demanda Geneviève en esquissant un sourire quasi orgastique.

— J'ai retrouvé mes cartes de hockey dans une vieille valise qui traînait au fond d'un sous-sol et en sortant, comme par hasard, un vieux collectionneur les a tout de suite achetées, répondis-je en riant à gorge déployée.

— Tu ne m'as pas déjà dit que tu achèterais un billet de saison de hockey si tu les trouvais, souligna-t-elle, le regard chargé de reconnaissance.

— J'ai changé d'idée ! Deux billets valent mieux qu'un ! N'est-ce pas ?

— Qui va garder les enfants ? Qu'est-ce que va dire mon patron ? Je ne peux pas m'absenter comme ça ! affirma-t-elle en dépliant sa serviette de table.

— Ta mère va s'en occuper et j'ai négocié une petite entente avec ton patron qui, en échange de ton absence, voudrait que tu observes et notes la pigmentation des toiles exposées aux nombreuses fenêtres du musée, répondis-je en décortiquant une appétissante langouste.

Geneviève demeura aphone. Incrédule. Elle flottait sur un nuage. Il y avait très longtemps qu'elle n'avait pas affiché un air aussi épanoui.

Elle croyait toujours rêver !

— Mais tu vas manquer ton hockey ? s'interrogea-t-elle avec un petit air ironique.

— Ce n'est pas *mon* hockey ! C'est *du* hockey auquel je me sens très libre d'assister ! Non ! Je ne manquerai absolument rien puisque la personne qui compte le plus au monde m'accompagnera durant dix jours, avouai-je en lui caressant la joue du revers de la main.

Je n'aurais pu offrir plus beau cadeau à la personne la plus importante de ma vie. Cette visite au palais d'Hiver de Leningrad demeurait un incontournable pour cette grande amoureuse de l'art baroque et de la culture russe.

La peinture, la musique, l'architecture et la littérature nous réuniraient enfin sous un même toit. Rubens, Rachmaninov, Rastrelli et Nabokov ne jouaient pas au hockey…

Quelques heures avant de monter à bord du Tupolev 154, je glissai secrètement sous la porte de Constance Sainphard une enveloppe cachetée sur laquelle j'écrivis : « De votre fils Clément Belzile ».

Comme le temps s'annonçait plutôt froid durant cette période, je faufilai à l'intérieur de ma valise la laine sacrée de la Sainte Flanelle.

Avant de passer au comptoir d'enregistrement, nous furetâmes durant quelques minutes sur la terrasse qui surplombait la douane. Le transbordeur venait à peine de débarquer des passagers parmi lesquels je crus apercevoir mon ami Victor…

Table